GW00585646

COLLECTION POÉSIE

PABLO NERUDA

Vingt poèmes d'amour

et une chanson désespérée

suivi de

Les vers du capitaine

*Traduction de Claude Couffon
et Christian Rinderknecht*

ÉDITION BILINGUE

GALLIMARD

Vingt poèmes d'amour et une chanson désespérée

*Veinte poemas de amor
y una canción desesperada*

Los veinte poemas

I

Cuerpo de mujer, blancas colinas, muslos blancos,
te pareces al mundo en tu actitud de entrega.
Mi cuerpo de labriego salvaje te socava
y hace saltar el hijo del fondo de la tierra.

Fui solo como un túnel. De mí huían los pájaros,
y en mí la noche entraba su invasión poderosa.
Para sobrevivirme te forjé como un arma,
como una flecha en mi arco, como una piedra en mi
    honda.

Pero cae la hora de la venganza, y te amo.
Cuerpo de piel, de musgo, de leche ávida y firme.

Les vingt poèmes d'amour

I

Corps de femme, blanches collines, cuisses blanches,
tu ressembles au monde dans ton attitude d'aban-
don.
Mon corps de laboureur sauvage te creuse
et fait jaillir le fils du fond de la terre.

Je fus seul comme un tunnel. Les oiseaux me
fuyaient,
et en moi la nuit pénétrait de son invasion puis-
sante.
Pour me survivre je t'ai forgée comme une
arme,
comme une flèche à mon arc, comme une pierre
à ma fronde.

Mais l'heure de la vengeance tombe à pic, et je
t'aime.
Corps de peau, de mousse, de lait avide et
ferme.

Ah los vasos del pecho! Ah los ojos de ausencia!
Ah las rosas del pubis! Ah tu voz lenta y triste!

Cuerpo de mujer mía, persistiré en tu gracia.
Mi sed, mi ansia sin límite, mi camino indeciso!
Oscuros cauces donde la sed eterna sigue,
y la fatiga sigue, y el dolor infinito.

Ah les vases de la poitrine! Ah les yeux de l'ab-
     sence!
Ah les roses du pubis! Ah ta voix lente et triste!

Corps de femme mienne, je persisterai en ta
     grâce.
Ma soif, mon désir sans bornes, mon chemin
     indécis!
Lits de rivières obscurs où la soif éternelle conti-
     nue,
et la fatigue continue, et la douleur infinie.

II

En su llama mortal la luz te envuelve.
Absorta, pálida doliente, así situada
contra las viejas hélices del crepúsculo
que en torno a ti da vueltas.

Muda, mi amiga,
sola en lo solitario de esta hora de muertes
y llena de las vidas del fuego,
pura heredera del día destruido.

Del sol cae un racimo en tu vestido oscuro.
De la noche las grandes raíces
crecen de súbito desde tu alma,
y a lo exterior regresan las cosas en ti ocultas,
de modo que un pueblo pálido y azul
de ti recién nacido se alimenta.

Oh grandiosa y fecunda y magnética esclava
del círculo que en negro y dorado sucede :

II

Dans sa flamme mortelle la lumière t'enveloppe.
Absorbée, pâle dolente, ainsi située
contre les vieilles hélices du crépuscule
qui tourne autour de toi.

Muette, mon amie,
seule dans la solitude de cette heure de morts
et pleine des vies du feu,
pure héritière du jour détruit.

Du soleil tombe une grappe sur ta robe noire.
Les grandes racines de la nuit
croissent subitement de ton âme,
et les choses en toi occultes s'en retournent au-
    dehors,
de telle sorte qu'un peuple pâle et bleu
de toi nouveau-né s'en alimente.

Oh grandiose et féconde et magnétique esclave
du cercle qui le noir et le doré alterne :

*erguida, trata y logra una creación tan viva
que sucumben sus flores, y llena es de tristeza.*

dressée, elle tente et obtient une création si vive que succombent ses fleurs, et est pleine de tris- tesse.

III

Ah vastedad de pinos, rumor de olas quebrándose,
lento juego de luces, campana solitaria,
crepúsculo cayendo en tus ojos, muñeca,
caracola terrestre, en ti la tierra canta!

En ti los ríos cantan y mi alma en ellos huye
como tú lo desees y hacia donde tú quieras.
Márcame mi camino en tu arco de esperanza
y soltaré en delirio mi bandada de flechas.

En torno a mí estoy viendo tu cintura de niebla
y tu silencio acosa mis horas perseguidas,
y eres tú con tus brazos de piedra transparente
donde mis besos anclan y mi húmeda ansia anida.

Ah tu voz misteriosa que el amor tiñe y dobla
en el atardecer resonante y muriendo!

III

Ah vastitude de pins, rumeur de vagues se brisant,
lent jeu de lumières, cloche solitaire,
crépuscule tombant dans tes yeux, poupée,
conque terrestre, en toi la terre chante !

En toi les rivières chantent et mon âme sur elles
    s'enfuit
comme tu le désirerais et vers où tu le vou-
    drais.
Trace mon chemin sur ton arc d'espérance
et je lâcherai en délire ma volée de flèches.

Autour de moi je vois ta ceinture de brume
et ton silence harcèle mes heures poursuivies,
et c'est toi avec tes bras de pierre transparente
où mes baisers jettent l'ancre et mon humide
    désir niche.

Ah ta voix mystérieuse que l'amour teinte et
    redouble
dans le soir résonnant et mourant !

Así en horas profundas sobre los campos he visto
doblarse las espigas en la boca del viento.

Ainsi dans les heures profondes sur les champs
 j'ai vu
se plier les épis dans la gueule du vent.

IV

Es la mañana llena de tempestad
en el corazón del verano.

Como pañuelos blancos de adiós viajan las nubes,
el viento las sacude con sus viajeras manos.

Innumerable corazón del viento
latiendo sobre nuestro silencio enamorado.

Zumbando entre los árboles, orquestal y divino,
como una lengua llena de guerras y de cantos.

Viento que lleva en rápido robo la hojarasca
y desvía las flechas latientes de los pájaros.

Viento que la derriba en ola sin espuma
y sustancia sin peso, y fuegos inclinados.

IV

C'est le matin plein de tempête
au cœur de l'été.

Les nuages voyagent tels de blancs mouchoirs
    d'adieu,
le vent les agite de ses mains voyageuses.

Innombrable cœur du vent
battant sur notre silence amoureux.

Bourdonnant entre les arbres, orchestral et divin,
comme une langue pleine de guerres et de
    chants.

Vent qui dérobe en vol rapide les feuilles mortes
et dévie les flèches palpitantes des oiseaux.

Vent qui la détrône en vague sans écume
et substance sans poids, et feux inclinés.

Se rompe y se sumerge su volumen de besos
combatido en la puerta del viento del verano.

Se brise et se submerge son volume de baisers
combattu à la porte du vent de l'été.

V

Para que tú me oigas
mis palabras
se adelgazan a veces
como las huellas de las gaviotas en las playas.

Collar, cascabel ebrio
para tus manos suaves como las uvas.

Y las miro lejanas mis palabras.
Más que mías son tuyas.
Van trepando en mi viejo dolor como las yedras.

Ellas trepan así por las paredes húmedas.
Eres tú la culpable de este juego sangriento.

Ellas están huyendo de mi guarida oscura.
Todo lo llenas tú, todo lo llenas.

V

Pour que tu m'entendes
mes mots
s'amenuisent parfois
comme les empreintes des mouettes sur les pla-
 ges.

Collier, grelot ivre
pour tes mains douces comme le raisin.

Et je les regarde lointains mes mots.
Plus que miens ils sont tiens.
Ils vont grimpant sur ma vieille douleur comme le
 lierre.

Ils grimpent ainsi sur les murs humides.
C'est toi la coupable de ce jeu sanglant.

Ils s'enfuient de mon antre obscur.
C'est toi qui emplis tout, tu emplis tout.

Antes que tú poblaron la soledad que ocupas,
y están acostumbradas más que tú a mi tristeza.

Ahora quiero que digan lo que quiero decirte
para que tú me oigas como quiero que me oigas.

El viento de la angustia aún las suele arrastrar.
Huracanes de sueños aún a veces las tumban.

Escuchas otras voces en mi voz dolorida.
Llanto de viejas bocas, sangre de viejas súplicas.
Ámame, compañera. No me abandones. Sígueme.
Sígueme, compañera, en esa ola de angustia.

Pero se van tiñendo con tu amor mis palabras.
Todo lo ocupas tú, todo lo ocupas.

Voy haciendo de todas un collar infinito
para tus blancas manos, suaves como las uvas.

Avant toi ils peuplèrent la solitude que tu
    occupes,
et ils sont plus habitués que toi à ma tristesse.

Maintenant je veux qu'ils disent ce que je veux te
    dire
pour que tu les entendes comme je veux que tu
    m'entendes.

Le vent de l'angoisse encore et toujours les
    traîne.
Des ouragans de songes encore et parfois les
    couchent.

Tu écoutes d'autres voix dans ma voix endolorie.
Sanglot d'anciennes bouches, sang d'anciennes
    suppliques.
Aime-moi, compagne. Ne m'abandonne pas. Suis-
    moi.
Suis-moi, compagne, sur cette vague de nausée.

Mais peu à peu mes mots se teintent de ton
    amour.
C'est toi qui occupes tout, tu occupes tout.

Je fais d'eux un collier infini
pour tes blanches mains, douces comme le raisin.

VI

Te recuerdo como eras en el último otoño.
Eras la boina gris y el corazón en calma.
En tus ojos peleaban las llamas del crepúsculo.
Y las hojas caían en el agua de tu alma.

Apegada a mis brazos como una enredadera,
las hojas recogían tu voz lenta y en calma.
Hoguera de estupor en que mi sed ardía.
Dulce jacinto azul torcido sobre mi alma.

Siento viajar tus ojos y es distante el otoño :
boina gris, voz de pájaro y corazón de casa
hacia donde emigraban mis profundos anhelos
y caían mis besos alegres como brasas.

Cielo desde un navío. Campo desde los cerros.
Tu recuerdo es de luz, de humo, de estanque en
    calma !

VI

Je me souviens de toi telle que tu étais au dernier
   automne.
Tu étais le béret gris et le cœur en paix.
Dans tes yeux se battaient les flammes du crépus-
   cule.
Et les feuilles tombaient sur l'eau de ton âme.

Serrée contre mes bras comme du liseron,
les feuilles recueillaient ta voix lente et en paix.
Foyer de stupeur dans lequel ma soif flambait.
Douce jacinthe bleue incurvée sur mon âme.

Je sens tes yeux voyager et l'automne est distant :
béret gris, voix d'oiseau et cœur de logis
vers lesquels émigraient mes profonds désirs
et tombaient mes baisers joyeux comme des braises.

Ciel depuis un navire. Champ depuis les collines.
Ton souvenir est de lumière, de fumée, d'étang
   en paix !

Más allá de tus ojos ardían los crepúsculos.
Hojas secas de otoño giraban en tu alma.

Au-delà de tes yeux flambaient les crépuscules.
Des feuilles mortes d'automne tournoyaient dans
    ton âme.

VII

Inclinado en las tardes tiro mis tristes redes
a tus ojos oceánicos.

Allí se estira y arde en la más alta hoguera
mi soledad que da vueltas los brazos como un náufrago.

Hago rojas señales sobre tus ojos ausentes
que olean como el mar a la orilla de un faro.

Sólo guardas tinieblas, hembra distante y mía,
de tu mirada emerge a veces la costa del espanto.

Inclinado en las tardes echo mis tristes redes
a ese mar que sacude tus ojos oceánicos.

Los pájaros nocturnos picotean las primeras estrellas
que centellean como mi alma cuando te amo.

VII

Penché dans les soirs je jette mes tristes filets
à tes yeux océaniques.

Là s'étire et flambe dans le plus haut brasier
ma solitude qui tourne les bras comme un nau-
    fragé.

Je fais de rouges signaux sur tes yeux absents
qui palpitent comme la mer au pied d'un phare.

Tu ne retiens que ténèbres, femme distante et
    mienne,
de ton regard émerge parfois la côte de l'effroi.

Penché dans les soirs je tends mes tristes filets
à cette mer qui bat tes yeux océaniques.

Les oiseaux nocturnes picorent les premières
    étoiles
qui scintillent comme mon âme quand je t'aime.

Galopa la noche en su yegua sombría
desparramando espigas azules sobre el campo.

La nuit galope sur sa sombre jument
répandant des épis bleus sur la campagne.

VIII

Abeja blanca zumbas — ebria de miel — en mi alma
y te tuerces en lentas espirales de humo.

Soy el desesperado, la palabra sin ecos,
el que lo perdió todo, y el que todo lo tuvo.

Última amarra, cruje en ti mi ansiedad última.
En mi tierra desierta eres la última rosa.

Ah silenciosa !

Cierra tus ojos profundos. Allí aletea la noche.
Ah desnuda tu cuerpo de estatua temerosa.

Tienes ojos profundos donde la noche alea.
Frescos brazos de flor y regazo de rosa.

Se parecen tus senos a los caracoles blancos.
Ha venido a dormirse en tu vientre una mariposa de
*   sombra.*

VIII

Blanche abeille tu bourdonnes — ivre de miel —
   dans mon âme
et tu te tords en lentes spirales de fumée.

Je suis le désespéré, la parole sans échos,
celui qui perdit tout, et celui qui posséda tout.

Ultime amarre, en toi craque mon anxiété ultime.
En ma terre déserte tu es l'ultime rose.

Ah silencieuse !

Clos tes yeux profonds. Là bat des ailes la nuit.
Ah dénude ton corps de statue craintive.

Tu as des yeux profonds où la nuit bat des ailes.
De frais bras de fleur et giron de rose.

Tes seins ressemblent aux escargots blancs.
Un papillon d'ombre est venu s'endormir sur ton
   ventre.

Ah silenciosa!

He aquí la soledad de donde estás ausente.
Llueve. El viento del mar caza errantes gaviotas.

El agua anda descalza por las calles mojadas.
De aquel árbol se quejan, como enfermos, las hojas.

Abeja blanca, ausente, aún zumbas en mi alma.
Revives en el tiempo, delgada y silenciosa.

Ah silenciosa!

Ah silencieuse !

Voici la solitude d'où tu es absente.
Il pleut. Le vent marin chasse d'errantes mouettes.

L'eau marche pieds nus dans les rues trempées.
De cet arbre geignent, comme des malades, les
    feuilles.

Blanche abeille, absente, encore tu bourdonnes
    dans mon âme.
Tu revis dans le temps, fine et silencieuse.

Ah silencieuse !

IX

Ebrio de trementina y largos besos,
estival, el velero de las rosas dirijo,
torcido hacia la muerte del delgado día,
cimentado en el sólido frenesí marino.

Pálido y amarrado a mi agua devorante
cruzo en el agrio olor del clima descubierto,
aún vestido de gris y sonidos amargos,
y una cimera triste de abandonada espuma.

Voy, duro de pasiones, montado en mi ola única,
lunar, solar, ardiente y frío, repentino,
dormido en la garganta de las afortunadas
islas blancas y dulces como caderas frescas.

Tiembla en la noche húmeda mi vestido de besos
locamente cargado de eléctricas gestiones,

IX

Ivre de térébenthine et de longs baisers,
estival, je dirige le voilier des roses,
tordu vers la mort du mince jour,
cimenté dans la solide frénésie marine.

Pâle et amarré à mon eau dévorante
je croise dans l'aigre odeur du climat décou-
    vert,
encore vêtu de gris et de sons amers,
et un cimier triste d'écume abandonnée.

Je vais, endurci de passions, montant mon unique
    vague,
lunaire, solaire, ardent et froid, soudain,
endormi dans la gorge des fortunées
îles blanches et douces comme des hanches fraî-
    ches.

Dans la nuit humide tremble mon habit de bai-
    sers
follement chargé d'électriques desseins,

de modo heroico dividido en sueños
y embriagadoras rosas practicándose en mí.

Aguas arriba, en medio de las olas externas,
tu paralelo cuerpo se sujeta en mis brazos
como un pez infinitamente pegado a mi alma
rápido y lento en la energía subceleste.

héroïquement composé de songes
et d'enivrantes roses se déployant en moi.

Eaux debout, au milieu des lames externes,
ton corps parallèle s'agrippe à mes bras
comme un poisson infiniment collé à mon âme
rapide et lent dans l'énergie subcéleste.

X

Hemos perdido aun este crepúsculo.
Nadie nos vio esta tarde con las manos unidas
mientras la noche azul caía sobre el mundo.

He visto desde mi ventana
la fiesta del poniente en los cerros lejanos.

A veces como una moneda
se encendía un pedazo de sol entre mis manos.

Yo te recordaba con el alma apretada
de esa tristeza que tú me conoces.

Entonces dónde estabas ?
Entre qué gentes ?
Diciendo qué palabras ?
Por qué se me vendrá todo el amor de golpe
cuando me siento triste, y te siento lejana ?

X

Nous avons perdu même ce crépuscule.
Personne ne nous vit ce soir les mains jointes
pendant que la nuit bleue tombait sur le monde.

J'ai vu de ma fenêtre
la fête du couchant sur les coteaux lointains.

Parfois comme une monnaie
s'allumait un morceau de soleil dans mes mains.

Je me souvenais de toi avec l'âme enserrée
de cette tristesse que toi tu me connais.

Où étais-tu alors ?
Parmi quelles gens ?
Disant quelles paroles ?
Pourquoi me vient tout l'amour d'un coup
lorsque je me sens triste, et que je te sens loin-
taine ?

*Cayó el libro que siempre se toma en el crepúsculo,
y como un perro herido rodó a mis pies mi capa.*

*Siempre, siempre te alejas en las tardes
hacia donde el crepúsculo corre borrando estatuas.*

Le livre que l'on emporte toujours dans le cré-
    puscule tomba,
et comme un chien blessé ma cape roula à mes
    pieds.

Toujours, toujours tu t'éloignes dans les soirs
vers où le crépuscule court en effaçant des sta-
    tues.

XI

Casi fuera del cielo ancla entre dos montañas
la mitad de la luna.
Girante, errante noche, la cavadora de ojos.
A ver cuántas estrellas trizadas en la charca.

Hace una cruz de luto entre mis cejas, huye.
Fragua de metales azules, noches de las calladas luchas,
mi corazón da vueltas como un volante loco.
Niña venida de tan lejos, traída de tan lejos,
a veces fulgurece su mirada debajo del cielo.
Quejumbre, tempestad, remolino de furia,
cruza encima de mi corazón, sin detenerte.
Viento de los sepulcros acarrea, destroza, dispersa tu raíz
    soñolienta.
Desarraiga los grandes árboles al otro lado de ella.
Pero tú, clara niña, pregunta de humo, espiga.
Era la que iba formando el viento con hojas iluminadas.

XI

Presque hors du ciel jette l'ancre entre deux mon-
    tagnes
la moitié de la lune.
Tournante, errante nuit, la terrassière des yeux.
Que d'étoiles en morceaux à voir dans la flaque.

Elle fait une croix de deuil entre mes sourcils, elle
    fuit.
Forge de métaux bleus, nuits des luttes silencieuses,
mon cœur tourne comme un volant fou.
Petite venue de si loin, amenée de si loin,
parfois fulgure son regard sous le ciel.
Plainte incessante, tempête, tourbillon de furie,
traverse sur mon cœur, sans t'arrêter.
Ô vent des sépulcres charrie, détruis, disperse ta
    racine somnolente.
Déracine les grands arbres de l'autre côté d'elle.
Mais toi, claire petite, question de fumée, épi.
Elle était celle que formait peu à peu le vent avec
    des feuilles illuminées.

Detrás de las montañas nocturnas, blanco lirio de
    incendio,
ah nada puedo decir! Era hecha de todas las cosas.

Ansiedad que partiste mi pecho a cuchillazos,
es hora de seguir otro camino, donde ella no sonría.
Tempestad que enterró las campanas, turbio revuelo de
    tormentas
para qué tocarla ahora, para qué entristecerla.

Ay seguir el camino que se aleja de todo,
donde no esté atajando la angustia, la muerte, el
    invierno,
con sus ojos abiertos entre el rocío.

Derrière les montagnes nocturnes, blanc lys d'in-
    cendie,
ah je ne peux rien dire ! Elle était faite de toutes
    les choses.

Désir violent, toi qui me fendis la poitrine à coups
    de couteau,
il est l'heure de suivre un autre chemin, où elle
    ne sourira pas.
Tempête qui enterra les cloches, trouble et nou-
    vel essor des tourments
pourquoi la toucher maintenant, pourquoi l'at-
    trister.

Suivre hélas le chemin qui s'éloigne de tout,
où ne taillade pas l'angoisse, la mort, l'hiver,
avec ses yeux ouverts parmi la rosée.

XII

Para mi corazón basta tu pecho,
para tu libertad bastan mis alas.
Desde mi boca llegará hasta el cielo
lo que estaba dormido sobre tu alma.

Es en ti la ilusión de cada día.
Llegas como el rocío a las corolas.
Socavas el horizonte con tu ausencia.
Eternamente en fuga como la ola.

He dicho que cantabas en el viento
como los pinos y como los mástiles.
Como ellos eres alta y taciturna.
Y entristeces de pronto, como un viaje.

Acogedora como un viejo camino.
Te pueblan ecos y voces nostálgicas.
Yo desperté y a veces emigran y huyen
pájaros que dormían en tu alma.

XII

Pour mon cœur suffit ta poitrine,
pour ta liberté suffisent mes ailes.
De ma bouche parviendra au ciel
ce qui était endormi sur ton âme.

Est en toi la joie naïve de chaque jour.
Tu viens comme la rosée aux corolles.
Tu sapes l'horizon par ton absence.
Éternellement en fugue comme la vague.

J'ai dit que tu chantais dans le vent
comme les pins et comme les mâts.
Comme eux tu es haute et taciturne.
Et tu t'attristes soudain, comme un voyage.

Accueillante comme un vieux chemin.
Tu es peuplée d'échos et de voix nostalgiques.
Je me suis éveillé et parfois émigrent et fuient
des oiseaux qui dormaient sur ton âme.

XIII

He ido marcando con cruces de fuego
el atlas blanco de tu cuerpo.
Mi boca era una araña que cruzaba escondiéndose.
En ti, detrás de ti, temerosa, sedienta.

Historias que contarte a la orilla del crepúsculo,
muñeca triste y dulce, para que no estuvieras triste.
Un cisne, un árbol, algo lejano y alegre.
El tiempo de las uvas, el tiempo maduro y frutal.

Yo que viví en un puerto desde donde te amaba.
La soledad cruzada de sueño y de silencio.
Acorralado entre el mar y la tristeza.
Callado, delirante, entre dos gondoleros inmóviles.

XIII

J'ai marqué au fur et à mesure avec des croix
    de feu
l'atlas blanc de ton corps.
Ma bouche était une araignée qui traversait en
    tapinois.
En toi, derrière toi, craintive, assoiffée.

Des histoires à te conter à l'orée du crépuscule,
poupée triste et douce, pour que tu ne fusses pas
    triste.
Un cygne, un arbre, quelque chose lointaine et
    joyeuse.
Le temps des raisins, le temps mature et fruitier.

Moi qui vécus dans un port depuis lequel je
    t'aimais.
La solitude traversée de songe et de silence.
Acculé entre la mer et la tristesse.
Silencieux, délirant, entre deux gondoliers immo-
    biles.

Entre los labios y la voz, algo se va muriendo.
Algo con alas de pájaro, algo de angustia y de olvido.
Así como las redes no retienen el agua.
Muñeca mía, apenas quedan gotas temblando.
Sin embargo, algo canta entre estas palabras fugaces.
Algo canta, algo sube hasta mi ávida boca.
Oh poder celebrarte con todas las palabras de alegría.
Cantar, arder, huir, como un campanario en las manos
*   de un loco.*
Triste ternura mía, qué te haces de repente ?
Cuando he llegado al vértice más atrevido y frío
mi corazón se cierra como una flor nocturna.

Entre les lèvres et la voix, quelque chose se meurt.

Quelque chose avec des ailes d'oiseau, quelque chose d'angoisse et d'oubli.

Tout comme les filets ne retiennent pas l'eau.

Ma poupée, il reste à peine des gouttes tremblant.

Pourtant, quelque chose chante parmi ces paroles fugaces.

Quelque chose chante, quelque chose monte jusqu'à mon avide bouche.

Oh pouvoir te célébrer avec toutes les paroles de joie.

Chanter, flamber, fuir, comme un clocher aux mains d'un fou.

Ma triste tendresse, que deviens-tu soudain?

Quand je suis arrivé à l'angle le plus osé et froid mon cœur se referme comme une fleur nocturne.

XIV

Juegas todos los días con la luz del universo.
Sutil visitadora, llegas en la flor y en el agua.
Eres más que esta blanca cabecita que aprieto
como un racimo entre mis manos cada día.

A nadie te pareces desde que yo te amo.
Déjame tenderte entre guirnaldas amarillas.
Quién escribe tu nombre con letras de humo entre las
     estrellas del sur ?
Ah déjame recordarte cómo eras entonces, cuando aún
     no existías.

De pronto el viento aúlla y golpea mi ventana cerrada.
El cielo es una red cuajada de peces sombríos.

XIV

Tu joues tous les jours avec la lumière de l'univers.
Subtile visiteuse, tu viens sur la fleur et dans
   l'eau.
Tu es plus que cette blanche et petite tête que je
   presse
comme une grappe entre mes mains chaque jour.

Tu ne ressembles à personne depuis que je t'aime.
Laisse-moi t'étendre parmi les guirlandes jaunes.
Qui inscrit ton nom avec des lettres de fumée
   parmi les étoiles du sud?
Ah laisse-moi me souvenir comment tu étais
   alors[1], quand tu n'existais pas encore.

Soudain le vent hurle et cogne ma fenêtre close.
Le ciel est un filet chargé de sombres poissons.

---

1. Ou : *laisse-moi te rappeler celle que tu étais alors.*

Aquí vienen a dar todos los vientos, todos.
Se desviste la lluvia.

Pasan huyendo los pájaros.
El viento. El viento.
Yo sólo puedo luchar contra la fuerza de los hombres.
El temporal arremolina hojas oscuras.
Y suelta todas las barcas que anoche amarraron al cielo.

Tú estás aquí. Ah tú no huyes.
Tú me responderás hasta el último grito.
Ovíllate a mi lado como si tuvieras miedo.
Sin embargo alguna vez corrió una sombra extraña por
    tus ojos.

Ahora, ahora también, pequeña, me traes madreselvas,
y tienes hasta los senos perfumados.
Mientras el viento triste galopa matando mariposas
yo te amo, y mi alegría muerde tu boca de ciruela.

Cuánto te habrá dolido acostumbrarte a mí,
a mi alma sola y salvaje, a mi nombre que todos ahuyen-
    tan.
Hemos visto arder tantas veces el lucero besándonos los
    ojos
y sobre nuestras cabezas destorcerse los crepúsculos en
    abanicos girantes.
Mis palabras llovieron sobre ti acariciándote.
Amé desde hace tiempo tu cuerpo de nácar soleado.

Ici viennent frapper tous les vents, tous.
La pluie se dévêt.

Les oiseaux passent en fuite.
Le vent. Le vent.
Je ne peux lutter que contre la force des hommes.
La tempête entourbillonne d'obscures feuilles
et libère toutes les barques qu'hier soir on amarra
    au ciel.

Toi tu es ici. Ah toi tu ne fuis pas.
Toi tu me répondras jusqu'au dernier cri.
Blottis-toi à mon côté comme si tu avais peur.
Pourtant une ombre étrange a parfois traversé tes
    yeux.

Maintenant, maintenant aussi, petite, tu m'ap-
    portes du chèvrefeuille,
et jusqu'à tes seins en sont parfumés.
Pendant que le vent triste galope en tuant des
    papillons
moi je t'aime, et ma joie mord ta bouche de prune.

Ce qu'il t'en aura coûté de t'habituer à moi,
à mon âme esseulée et sauvage, à mon nom que
    tous chassent.
Tant de fois nous avons vu s'embraser l'étoile du
    Berger en nous baisant les yeux
et sur nos têtes se détordre les crépuscules en
    éventails tournants.
Mes paroles ont plu sur toi en te caressant.
Depuis longtemps j'ai aimé ton corps de nacre
    ensoleillée.

Hasta te creo dueña del universo.
Te traeré de las montañas flores alegres, copihues,
avellanas oscuras, y cestas silvestres de besos.

Quiero hacer contigo
lo que la primavera hace con los cerezos.

Je te crois même reine de l'univers.
Je t'apporterai des fleurs joyeuses des montagnes,
    des *copihues,*
des noisettes foncées, et des paniers sylvestres de
    baisers.

Je veux faire avec toi
ce que le printemps fait avec les cerisiers.

XV

Me gustas cuando callas porque estás como ausente,
y me oyes desde lejos, y mi voz no te toca.
Parece que los ojos se te hubieran volado
y parece que un beso te cerrara la boca.

Como todas las cosas están llenas de mi alma
emerges de las cosas, llena del alma mía.
Mariposa de sueño, te pareces a mi alma,
y te pareces a la palabra melancolía.

Me gustas cuando callas y estás como distante.
Y estás como quejándote, mariposa en arrullo.
Y me oyes desde lejos, y mi voz no te alcanza :
Déjame que me calle con el silencio tuyo.

Déjame que te hable también con tu silencio
claro como una lámpara, simple como un anillo.

XV

Tu me plais quand tu te tais car tu es comme
    absente,
et tu m'entends de loin, et ma voix point ne te
    touche.
On dirait que tes yeux se seraient envolés
et on dirait qu'un baiser t'aurait scellé la bouche.

Comme toutes les choses sont emplies de mon
    âme
tu émerges des choses, de toute mon âme emplie.
Papillon de songe, tu ressembles à mon âme,
et tu ressembles au mot mélancolie.

Tu me plais quand tu te tais et sembles distante.
Et tu sembles gémir, papillon dans la berceuse.
Et tu m'entends de loin, et ma voix ne t'atteint pas :
laisse-moi me taire avec ton silence.

Laisse-moi aussi te parler avec ton silence
clair comme une lampe, simple comme un anneau.

Eres como la noche, callada y constelada.
Tu silencio es de estrella, tan lejano y sencillo.

Me gustas cuando callas porque estás como ausente.
Distante y dolorosa como si hubieras muerto.
Una palabra entonces, una sonrisa bastan.
Y estoy alegre, alegre de que no sea cierto.

Tu es comme la nuit, muette et constellée.
Ton silence est d'étoile, si lointain et simple.

Tu me plais quand tu te tais car tu es comme
    absente.
Distante et endolorie comme si tu étais morte.
Un mot alors, un sourire suffisent.
Et la joie que ce ne soit pas vrai, la joie m'em-
    porte.

XVI

Paráfrasis a R. Tagore.

En mi cielo al crepúsculo eres como una nube
y tu color y forma son como yo los quiero.
Eres mía, eres mía, mujer de labios dulces
y viven en tu vida mis infinitos sueños.

La lámpara de mi alma te sonrosa los pies,
el agrio vino mío es más dulce en tus labios,
oh segadora de mi canción de atardecer,
cómo te sienten mía mis sueños solitarios!

Eres mía, eres mía, voy gritando en la brisa
de la tarde, y el viento arrastra mi voz viuda.
Cazadora del fondo de mis ojos, tu robo
estanca como el agua tu mirada nocturna.

XVI

Paraphrase à R. Tagore.

Dans mon ciel au crépuscule tu es comme un
    nuage
et ta couleur et forme sont comme moi je les
    veux.
Tu es mienne, tu es mienne, femme aux douces
    lèvres
et vivent dans ta vie mes rêves infinis.

La lampe de mon âme te rosit les pieds,
mon aigre vin est plus doux sur tes lèvres,
ô moissonneuse de ma chanson du soir tombant,
comme te sentent mienne mes songes solitaires !

Tu es mienne, tu es mienne, vais-je criant dans la
    brise
du soir, et le vent emporte ma voix veuve.
Chasseresse du fond de mes yeux, ton larcin
retient comme l'eau ton regard nocturne.

En la red de mi música estás presa, amor mío,
y mis redes de música son anchas como el cielo.
Mi alma nace a la orilla de tus ojos de luto.
En tus ojos de luto comienza el país del sueño.

Dans le filet de ma musique tu es captive, mon
    amour,
et mes filets de musique sont larges comme le
    ciel.
Mon âme naît au bord de tes yeux de deuil.
Dans tes yeux de deuil commence le pays du rêve.

XVII

Pensando, enredando sombras en la profunda soledad.
Tú también estás lejos, ah más lejos que nadie.
Pensando, soltando pájaros, desvaneciendo imágenes,
enterrando lámparas.
Campanario de brumas, qué lejos, allá arriba!
Ahogando lamentos, moliendo esperanzas sombrías,
molinero taciturno,
se te viene de bruces la noche, lejos de la ciudad.

Tu presencia es ajena, extraña a mí como una cosa.
Pienso, camino largamente, mi vida antes de ti.
Mi vida antes de nadie, mi áspera vida.
El grito frente al mar, entre las piedras,
corriendo libre, loco, en el vaho del mar.
La furia triste, el grito, la soledad del mar.
Desbocado, violento, estirado hacia el cielo.

XVII

Pensant, prenant dans mes filets des ombres en la
    profonde solitude.
Toi aussi tu es loin, ah plus loin que personne.
Pensant, lâchant des oiseaux, dissipant des images,
enterrant des lampes.
Clocher de brumes, si loin, là-haut !
Noyant des lamentations, moulant de sombres
    espoirs,
meunier taciturne,
la nuit vient à toi à plat ventre, loin de la ville.

Ta présence est étrangère, extérieure à moi comme
    une chose.
Je pense, parcours longuement, ma vie avant toi.
Ma vie d'avant quiconque, mon âpre vie.
Le cri face à la mer, parmi les pierres,
courant libre, fou, dans la vapeur de la mer.
La furie triste, le cri, la solitude de la mer.
Emporté, violent, étiré vers le ciel.

Tú, mujer, qué eras allí, qué raya, qué varilla
de ese abanico inmenso ? Estabas lejos como ahora.
Incendio en el bosque ! Arde en cruces azules.
Arde, arde, llamea, chispea en árboles de luz.
Se derrumba, crepita. Incendio. Incendio.

Y mi alma baila herida de virutas de fuego.
Quién llama ? Qué silencio poblado de ecos ?
Hora de la nostalgia, hora de la alegría, hora de la
   soledad,
hora mía entre todas !

Bocina en que el viento pasa cantando.
Tanta pasión de llanto anudada a mi cuerpo.

Sacudida de todas las raíces,
asalto de todas las olas !
Rodaba, alegre, triste, interminable, mi alma.

Pensando, enterrando lámparas en la profunda soledad.
Quién eres tú, quién eres ?

Toi, femme, qu'étais-tu là, quel pli, quelle branche
de cet éventail immense ? Tu étais loin comme
    maintenant.
Incendie dans le bois ! Il flambe en croix bleues.
Il flambe, flambe, flamboie, étincelle en arbres de
    lumière.
Il s'écroule, crépite. Incendie. Incendie.

Et mon âme danse blessée de copeaux de feu.
Qui appelle ? Quel silence peuplé d'échos ?
Heure de la nostalgie, heure de la joie, heure de
    la solitude,
heure mienne entre toutes !

Corne dans laquelle le vent passe en chantant.
Tant de passion de pleurs nouée à mon corps.

Secousse de toutes les racines,
assaut de toutes les vagues !
Roulait, joyeuse, triste, interminable, mon âme.

Pensant, enterrant des lampes en la profonde soli-
    tude.
Qui es-tu toi, qui es-tu ?

XVIII

Aquí te amo.
En los oscuros pinos se desenreda el viento.
Fosforece la luna sobre las aguas errantes.
Andan días iguales persiguiéndose.

Se desciñe la niebla en danzantes figuras.
Una gaviota de plata se descuelga del ocaso.
A veces una vela. Altas, altas estrellas.

O la cruz negra de un barco.
Solo.
A veces amanezco, y hasta mi alma está húmeda.
Suena, resuena el mar lejano.
Éste es un puerto.
Aquí te amo.

Aquí te amo y en vano te oculta el horizonte.
Te estoy amando aún entre estas frías cosas.

XVIII

Ici je t'aime.
Dans les obscurs pins se démêle le vent.
La lune phosphorescente sur les eaux errantes.
Des jours égaux passent en se poursuivant.

La brume défait sa ceinture en dansantes figures.
Une mouette d'argent se décroche du soleil cou-
    chant.
Parfois une voile. Hautes, hautes étoiles.

Oh la croix noire d'un bateau.
Seul.
Parfois je m'éveille au matin, et jusqu'à mon âme
    est humide.
Sonne, résonne la mer lointaine.
Voici un port.
Ici je t'aime.

Ici je t'aime et l'horizon en vain t'occulte.
Je t'aime encore parmi ces choses froides.

A veces van mis besos en esos barcos graves,
que corren por el mar hacia donde no llegan.

Ya me veo olvidado como estas viejas anclas.
Son más tristes los muelles cuando atraca la tarde.
Se fatiga mi vida inútilmente hambrienta.
Amo lo que no tengo. Estás tú tan distante.

Mi hastío forcejea con los lentos crepúsculos.
Pero la noche llega y comienza a cantarme.
La luna hace girar su rodaje de sueño.

Me miran con tus ojos las estrellas más grandes.
Y como yo te amo, los pinos en el viento,
quieren cantar tu nombre con sus hojas de alambre.

Parfois mes baisers vont sur ces bateaux graves,
qui vont par les mers vers où ils n'arrivent pas.

Déjà je me vois oublié comme ces vieilles ancres.
Les quais sont plus tristes quand le soir jette les
    amarres.
Ma vie inutilement affamée se fatigue.
J'aime ce que je n'ai pas. Toi tu es si distante.

Mon ennui lutte avec les lents crépuscules.
Mais la nuit vient et commence à chanter pour
    moi.
La lune fait tourner ses rouages de songe.

Les étoiles les plus grandes me regardent avec tes
    yeux.
Et puisque je t'aime, les pins dans le vent
veulent chanter ton nom avec leurs feuilles de fil
    de fer.

XIX

Niña morena y ágil, el sol que hace las frutas,
el que cuaja los trigos, el que tuerce las algas,
hizo tu cuerpo alegre, tus luminosos ojos
y tu boca que tiene la sonrisa del agua.

Un sol negro y ansioso se te arrolla en las hebras
de la negra melena, cuando estiras los brazos.
Tú juegas con el sol como con un estero
y él te deja en los ojos dos oscuros remansos.

Niña morena y ágil, nada hacia ti me acerca.
Todo de ti me aleja, como del mediodía.
Eres la delirante juventud de la abeja,
la embriaguez de la ola, la fuerza de la espiga.

Mi corazón sombrío te busca, sin embargo,
y amo tu cuerpo alegre, tu voz suelta y delgada.
Mariposa morena dulce y definitiva
como el trigal y el sol, la amapola y el agua.

XIX

Petite brune et agile, le soleil qui fait les fruits,
celui qui charge les blés, celui qui tord les algues,
il a fait ton corps joyeux, tes yeux lumineux
et ta bouche qui a le sourire de l'eau.

Un soleil noir et avide s'enroule dans les mèches
de ta noire crinière, quand tu étires les bras.
Toi tu joues avec le soleil comme avec un marais
et il laisse dans tes yeux deux obscures mares.

Petite brune et agile, rien ne me rapproche de toi.
Tout m'éloigne de toi, comme du plein midi.
Tu es la délirante jeunesse de l'abeille,
l'ivresse de la vague, la force de l'épi.

Mon cœur sombre te cherche, pourtant,
et j'aime ton corps joyeux, ta voix libre et fine.
Papillon brun, doux et définitif
comme le champ de blé et le soleil, le coquelicot
  et l'eau.

XX

Puedo escribir los versos más tristes esta noche.

Escribir, por ejemplo : "La noche está estrellada,
y tiritan, azules, los astros, a lo lejos."

El viento de la noche gira en el cielo y canta.

Puedo escribir los versos más tristes esta noche.
Yo la quise, y a veces ella también me quiso.

En las noches como ésta la tuve entre mis brazos.
La besé tantas veces bajo el cielo infinito.

Ella me quiso, a veces yo también la quería.
Cómo no haber amado sus grandes ojos fijos.

Puedo escribir los versos más tristes esta noche.
Pensar que no la tengo. Sentir que la he perdido.

XX

Je peux écrire les vers les plus tristes cette nuit.

Écrire, par exemple : « La nuit est étoilée,
et grelottent, bleus, les astres, au lointain. »

Le vent de la nuit tourne dans le ciel et chante.

Je peux écrire les vers les plus tristes cette nuit.
Je l'ai aimée, et parfois elle aussi m'aima.

Dans les nuits comme celle-ci je l'ai tenue dans
    mes bras.
Je l'ai embrassée tant de fois sous le ciel infini.

Elle m'aima, parfois moi aussi je l'ai aimée.
Comment ne pas avoir aimé ses grands yeux fixes.

Je peux écrire les vers les plus tristes cette nuit.
Songer que je ne l'ai pas. Sentir que je l'ai perdue[1].

1. Ou : *Regretter de l'avoir perdue.*

Oír la noche inmensa, más inmensa sin ella.
Y el verso cae al alma como al pasto el rocío.

Qué importa que mi amor no pudiera guardarla.
La noche está estrellada y ella no está conmigo.

Eso es todo. A lo lejos alguien canta. A lo lejos.
Mi alma no se contenta con haberla perdido.

Como para acercarla mi mirada la busca.
Mi corazón la busca, y ella no está conmigo.

La misma noche que hace blanquear los mismos árboles.
Nosotros, los de entonces, ya no somos los mismos.

Ya no la quiero, es cierto, pero cuánto la quise.
Mi voz buscaba el viento para tocar su oído.

De otro. Será de otro. Cómo antes de mis besos.
Su voz, su cuerpo claro. Sus ojos infinitos.

Ya no la quiero, es cierto, pero tal vez la quiero.
Es tan corto el amor, y es tan largo el olvido.

Entendre la nuit immense, plus immense sans
elle.
Et le vers tombe sur l'âme comme la rosée sur
l'herbe.

Qu'importe que mon amour n'ait pu la garder.
La nuit est étoilée et elle n'est pas avec moi.

C'est tout. Au loin quelqu'un chante. Au loin.
Mon âme n'est pas satisfaite, l'ayant perdue.

Comme pour la rapprocher mon regard la cherche.
Mon cœur la cherche, et elle n'est pas avec moi.

La même nuit qui fait blanchir les mêmes arbres.
Nous autres, ceux d'alors, déjà ne sommes plus
les mêmes.

Déjà je ne l'aime plus, c'est vrai, mais combien
l'ai-je aimée.
Ma voix recherchait le vent pour toucher son
oreille.

À un autre. Elle sera à un autre. Comme avant
mes baisers.
Sa voix, son corps clair. Ses yeux infinis.

Déjà je ne l'aime plus, c'est vrai, mais peut-être
que je l'aime.
L'amour est si court, et l'oubli est si long.

Porque en noches como ésta la tuve entre mis brazos,
mi alma no se contenta con haberla perdido.

Aunque éste sea el último dolor que ella me causa,
y éstos sean los últimos versos que yo le escribo.

Parce qu'en des nuits comme celle-ci je l'ai tenue
　　dans mes bras,
mon âme n'est pas satisfaite, l'ayant perdue.

Bien que celle-ci soit l'ultime douleur qu'elle
　　m'inflige,
et ceux-ci soient les ultimes vers que je lui écris.

La canción desesperada

Emerge tu recuerdo de la noche en que estoy.
El río anuda al mar su lamento obstinado.

Abandonado como los muelles en el alba.
Es la hora de partir, oh abandonado!

Sobre mi corazón llueven frías corolas.
Oh sentina de escombros, feroz cueva de náufragos!

En ti se acumularon las guerras y los vuelos.
De ti alzaron las alas los pájaros del canto.

Todo te lo tragaste, como la lejanía.
Como el mar, como el tiempo. Todo en ti fue naufragio!

Era la alegre hora del asalto y el beso.
La hora del estupor que ardía como un faro.

La chanson désespérée

Ton souvenir émerge de la nuit où je suis.
Le fleuve noue sa lamentation obstinée à la mer.

Abandonné comme les quais dans l'aube.
C'est l'heure de partir, oh abandonné !

Sur mon cœur pleuvent de froides corolles.
Ô sentine de décombres, féroce grotte de nau-
    fragés !

En toi s'accumulèrent les guerres et les envols.
De toi déplièrent leurs ailes les oiseaux du chant.

Tu as tout englouti, comme le lointain.
Comme la mer, comme le temps. Tout en toi fut
    naufrage !

C'était l'heure joyeuse de l'assaut et le baiser.
L'heure de la stupeur ardente comme un phare.

Ansiedad de piloto, furia de buzo ciego,
turbia embriaguez de amor, todo en ti fue naufragio!

En la infancia de niebla mi alma alada y herida.
Descubridor perdido, todo en ti fue naufragio!

Te ceñiste al dolor, te agarraste al deseo,
te tumbó la tristeza, todo en ti fue naufragio!

Hice retroceder la muralla de sombra,
anduve más allá del deseo y del acto.

Oh carne, carne mía, mujer que amé y perdí,
a ti en esta hora húmeda, evoco y hago canto.

Como un vaso albergaste la infinita ternura,
y el infinito olvido te trizó como a un vaso.

Era la negra, negra soledad de las islas,
y allí, mujer de amor, me acogieron tus brazos.

Era la sed y el hambre, y tú fuiste la fruta.
Era el duelo y las ruinas, y tú fuiste el milagro.

Ah mujer, no sé cómo pudiste contenerme
en la tierra de tu alma, y en la cruz de tus brazos!

Anxiété de pilote, furie de plongeur aveugle,
trouble ivresse d'amour, tout en toi fut naufrage !

Dans l'enfance de brouillard mon âme ailée et
blessée.
Découvreur perdu, tout en toi fut naufrage !

Tu enlaças la douleur, tu t'agrippas au désir,
la tristesse te coucha, tout en toi fut naufrage !

J'ai fait reculer la muraille d'ombre,
j'ai marché au-delà du désir et de l'acte.

Ô chair, ma chair, femme que j'ai aimée et perdue,
c'est toi dans cette heure humide que j'évoque et
fais chant.

Comme un vase tu abritas l'infinie tendresse,
et l'oubli infini te réduisit en miettes comme un
vase.

J'étais la noire, noire solitude des îles,
et là, femme d'amour, m'accueillirent tes bras.

J'étais la soif et la faim, et toi tu fus le fruit.
J'étais le deuil et les ruines, et toi tu fus le miracle.

Ah femme, je ne sais comment tu pus me conte-
nir
dans la terre de ton âme, et dans la croix de tes
bras !

Mi deseo de ti fue el más terrible y corto,
el más revuelto y ebrio, el más tirante y ávido.

Cementerios de besos, aún hay fuego en tus tumbas,
aún los racimos arden picoteados de pájaros.

Oh la boca mordida, oh los besados miembros,
oh los hambrientos dientes, oh los cuerpos trenzados.

Oh la cópula loca de esperanza y esfuerzo
en que nos anudamos y nos desesperamos.

Y la ternura, leve como el agua y la harina.
Y la palabra apenas comenzada en los labios.

Ése fue mi destino y en él viajó mi anhelo,
y en él cayó mi anhelo, todo en ti fue naufragio!

Oh, sentina de escombros, en ti todo caía,
qué dolor no exprimiste, qué olas no te ahogaron!

De tumbo en tumbo aún llameaste y cantaste.
De pie como un marino en la proa de un barco.

Aún floreciste en cantos, aún rompiste en corrientes.
Oh sentina de escombros, pozo abierto y amargo.

Mon désir de toi fut le plus terrible et court,
le plus désordonné et soûl, le plus tendu et avide.

Cimetière de baisers, il y a encore du feu dans tes
    tombes,
les grappes resplendissent encore picorées d'oi-
    seaux.

Oh la bouche mordue, oh les membres baisés,
oh les dents affamées, oh les corps tressés.

Oh l'accouplement fou d'espoir et d'effort
en lequel nous nous sommes noués et désespérés.

Et la tendresse, légère comme l'eau et la farine.
Et le mot à peine commencé sur les lèvres.

Cela fut mon destin et en lui voyagea mon désir
    ardent,
et en lui chuta mon désir ardent, tout en toi fut
    naufrage !

Ô sentine de décombres, en toi tout chutait,
quelle douleur n'exprimas-tu pas, quelles vagues
    ne te noyèrent pas !

De cahot en cahot tu continuas à flamboyer et à
    chanter.
Debout comme un marin à la proue d'un bateau.

Encore tu fleuris en chants, encore tu t'épanchas
    en courants.
Ô sentine de décombres, puits ouvert et amer.

Pálido buzo ciego, desventurado hondero,
descubridor perdido, todo en ti fue naufragio!

Es la hora de partir, la dura y fría hora
que la noche sujeta a todo horario.

El cinturón ruidoso del mar ciñe la costa.
Surgen frías estrellas, emigran negros pájaros.

Abandonado como los muelles en el alba.
Sólo la sombra trémula se retuerce en mis manos.

Ah más allá de todo. Ah más allá de todo.

Es la hora de partir. Oh abandonado!

Pâle plongeur aveugle, infortuné frondeur,
découvreur perdu, tout en toi fut naufrage !

C'est l'heure de partir, l'heure dure et froide
que la nuit fixe aux petites aiguilles des montres.

La ceinture bruyante de la mer enserre la côte.
Surgissent de froides étoiles, émigrent de noirs
   oiseaux.

Abandonné comme les quais dans l'aube.
Seule l'ombre tremblante se contorsionne dans
   mes mains.

Ah au-delà de tout. Ah au-delà de tout.

C'est l'heure de partir. Oh abandonné !

Les vers du capitaine

Los versos del capitán

Explicación

Mucho se discutió el anonimato de este libro. Lo que yo discutía en mi interior, mientras tanto, era si debía o no sacarlo de su origen íntimo : revelar su progenitura era desnudar la intimidad de su nacimiento. Y no me parecía que tal acción fuera leal a los arrebatos de amor y furia, al clima desconsolado y ardiente del destierro que le dio nacimiento.

Por otra parte pienso que todos los libros debieran ser anónimos. Pero entre quitar a todos los míos mi nombre o entregarlo al más misterioso, cedí, por fin, aunque sin muchas ganas.

¿Que por qué guardó su misterio por tanto tiempo ? Por nada y por todo, por lo de aquí y lo de más allá, por alegrías impropias, por sufrimientos ajenos. Cuando Paolo Ricci, compañero luminoso, lo imprimió por primera vez en Nápoles en 1952 pensamos que aquellos

Explication

On a beaucoup discuté au sujet de l'anonymat de ce livre. Ce dont je débattais, moi, intérieurement, pendant ce temps, était lié à cette question de savoir si je devais ou non le sortir de son origine intime : révéler sa paternité revenait à dénuder l'intimité de sa conception. Et un tel acte me semblait trahir les élans d'amour et de rage, le climat désolé et brûlant de l'exil qui lui avaient donné naissance.

Par ailleurs, je pense que tous les livres devraient être anonymes. Mais, entre retirer mon nom à tous les miens ou le donner au plus mystérieux d'entre eux, j'ai finalement opté, quoique sans enthousiasme, pour cette dernière solution.

Pourquoi a-t-il gardé son mystère durant si longtemps ? À cause de rien et de tout, des choses d'ici et de plus loin, de joies impropres, de souffrances étrangères. Lorsque Paolo Ricci, lumineux compagnon, l'imprima pour la première fois à Naples en 1952, nous pensions que ces exemplaires si peu

*escasos ejemplares que él cuidó y preparó con exce-
lencia desaparecerían sin dejar huellas en las arenas
del Sur.*

*No ha sido así. Y la vida que reclamó su estallido
secreto hoy me lo impone como presencia del inconmo-
vible amor.*

*Entrego, pues, este libro sin explicarlo más, como si
fuera mío y no lo fuera : basta con que pudiera andar
solo por el mundo y crecer por su cuenta. Ahora que lo
reconozco espero que su sangre furiosa me reconocerá
también.*

PABLO NERUDA
Isla Negra, noviembre de 1963

nombreux auxquels il avait consacré tant d'attention et qu'il avait si excellemment préparés disparaîtraient sans laisser de trace dans les sables du Sud.

Il n'en a rien été. Et la vie qui réclama son explosion secrète me l'impose aujourd'hui comme présence de l'amour inaltérable.

J'offre donc ce livre, sans plus d'explications, comme s'il était le mien sans l'être : il suffit qu'il puisse circuler seul dans le monde et grandir pour son propre compte. Et maintenant que je le reconnais j'espère que son sang furieux me reconnaîtra lui aussi.

PABLO NERUDA
Isla Negra, novembre 1963

Carta prólogo
a las primeras ediciones

Habana, 3 de octubre de 1951

Estimado señor,

Me permito enviarle estos papeles que creo le interesarán y que no he podido dar a la publicidad hasta ahora.

Tengo todos los originales de estos versos. Están escritos en los sitios más diversos, como trenes, aviones, cafés y en pequeños papelitos extraños en los que no hay casi correcciones. En una de sus últimas cartas venía La carta en el camino. Muchos de estos papeles por arrugados y cortados son casi ilegibles, pero creo que he logrado descifrarlos.

Mi persona no tiene importancia, pero soy la protagonista de este libro y eso me hace estar orgullosa y satisfecha de mi vida.

Este amor, este gran amor, nació un agosto de un año

La Havane, 3 octobre 1951

Cher Monsieur,

Je me permets de vous envoyer ces papiers qui, je crois, vous intéresseront et que je n'ai pu jusqu'à présent rendre publics.

Je possède tous les originaux des poèmes ci-joints. Ils ont été écrits dans les endroits les plus divers, trains, avions, cafés, sur d'étranges petits bouts de papier qui ne portent pour ainsi dire aucune correction. Dans l'un de ses derniers courriers se trouvait *La lettre en chemin*. Beaucoup de ces feuillets sont devenus presque illisibles parce qu'ils ont été froissés et déchirés, mais il me semble que j'ai réussi à les déchiffrer.

Ma personne n'a pas d'importance mais je suis la protagoniste de ce livre, ce qui me rend fière et satisfaite de ma vie.

cualquiera, en mis giras que hacía como artista por los pueblos de la frontera franco-española.

El venía de la guerra de España. No venía vencido. Era del partido de Pasionaria, estaba lleno de ilusiones y de esperanzas para su pequeño y lejano país, en Centroamérica.

Siento no poder dar su nombre. Nunca he sabido cuál era el verdadero, si Martínez, Ramírez o Sánchez. Yo lo llamo simplemente mi Capitán y éste es el nombre que quiero conservar en este libro.

Sus versos son como él mismo : tiernos, amorosos, apasionados, y terribles en su cólera. Era fuerte y su fuerza la sentían todos los que a él se acercaban. Era un hombre privilegiado de los que nacen para grandes destinos. Yo sentía su fuerza y mi placer más grande era sentirme pequeña a su lado.

Entró a mi vida, como él lo dice en un verso, echando la puerta abajo. No golpeó la puerta con timidez de enamorado. Desde el primer instante, él se sintió dueño de mi cuerpo y de mi alma. Me hizo sentir que todo cambiaba en mi vida, esa pequeña vida mía de artista, de comodidad, de blandura, se transformó como todo lo que él tocaba.

No sabía de sentimientos pequeños, ni tampoco los aceptaba. Me dio su amor, con toda la pasión que él era capaz de sentir y yo lo amé como nunca me creí capaz de amar. Todo se transformó en mi vida. Entré a un mundo que antes nunca soñé que existía. Primero tuve

Cet amour, ce grand amour, est né un certain mois d'août, au cours d'une de ces tournées que je faisais en tant qu'artiste dans les villes de la frontière franco-espagnole.

Il arrivait, lui, de la guerre d'Espagne. Non en vaincu. Son parti était celui de la Pasionaria, il était plein d'illusions et d'espoirs pour son lointain petit pays, situé en Amérique centrale.

Je regrette de ne pouvoir indiquer son nom. Je n'ai jamais su quel était le vrai, s'il s'agissait de Martínez, de Ramírez ou de Sánchez. Je l'appelle, moi, simplement, mon Capitaine, et c'est le nom que je veux conserver pour ce livre.

Ses vers sont à son image : tendres, épris, passionnés, et terribles dans leur colère. Il était fort et sa force, tous ceux qui l'approchaient, la ressentaient. C'était un de ces hommes privilégiés qui naissent pour les grands destins. Je percevais sa force et mon plus grand plaisir était de me sentir petite à son côté.

Il est entré dans ma vie, comme il le dit lui-même dans un vers, en enfonçant la porte. Il n'y a pas frappé avec la timidité d'un amoureux. Dès le premier instant, il s'est senti le maître de mon corps et de mon cœur. Il m'a fait comprendre que tout changeait dans ma vie, ma petite vie d'artiste, douillette et confortable, et qui s'est transformée comme tout ce qu'il touchait.

miedo, hubo momentos de duda, pero el amor no me dejó vacilar mucho tiempo.

Este amor me traía todo. La ternura dulce y sencilla cuando buscaba una flor, un juguete, una piedra de río y me la entregaba con sus ojos húmedos de una ternura infinita. Sus grandes manos eran en este momento de una blandura dulce y en sus ojos se asomaba entonces un alma de niño.

Pero había en mí un pasado que él no conocía y había celos y furias incontenibles. Estas eran como tempestades furiosas que azotaban su alma y la mía, pero nunca tuvieron fuerza para destrozar la cadena que nos unía, que era nuestro amor, y de cada tempestad salíamos más unidos, más fuertes, más seguros de nosotros mismos.

En todos estos momentos, él escribía estos versos, que me hacían subir al cielo o bajar al mismo infierno, con la crudeza de sus palabras que me quemaban como brasas.

El no podía amar de otra manera. Estos versos son la historia de nuestro amor, grande en todas sus manifestaciones. Tenía la misma pasión que él ponía en sus combates, en sus luchas contra las injusticias. Le dolían el sufrimiento y la miseria, no sólo de su pueblo, sino de todos los pueblos, todas las luchas por combatirlos eran suyas y se entregaba entero, con toda su pasión.

Yo soy muy poco literaria y no puedo hablar del valor de estos versos, fuera del valor humano que indiscutible-

Il ignorait les sentiments mesquins, que d'ailleurs il n'admettait pas. Il m'offrit son amour, avec toute la passion qu'il était capable d'éprouver et je me mis à l'aimer comme jamais je ne m'étais crue capable d'aimer. Mes jours changèrent du tout au tout. J'accédai à un monde dont je ne soupçonnais pas, même en rêve, l'existence. Je commençai par avoir peur, il y eut des moments de doute, mais l'amour ne me laissa pas longtemps hésiter.

Cet amour m'apportait tout. L'humble tendresse lorsque je cherchais une fleur, un jouet, un galet de rivière et qu'il me les tendait, les yeux baignés d'une affection sans fin. Ses grandes mains étaient alors agréablement douces et ses yeux découvraient un cœur d'enfant.

Pourtant il y avait en moi un passé qu'il ignorait et qui provoquait chez lui des jalousies et des fureurs incontrôlables. Ces dernières ressemblaient à des tempêtes qui fouettaient son cœur et le mien mais qui n'eurent jamais assez de force pour rompre la chaîne qui nous unissait, celle de notre amour, et nous ressortions de chaque orage plus liés encore, plus forts, plus sûrs de nous-mêmes.

C'est à ces moments-là qu'il écrivait ces poèmes qui me faisaient monter au ciel ou descendre en enfer, avec la crudité de ses paroles qui me brûlaient comme des braises.

mente tienen. Tal vez el Capitán nunca pensó que estos versos se publicarían, pero ahora creo que es mi deber darlos al mundo.

Saluda atentamente a usted.

ROSARIO DE LA CERDA

Il ne pouvait aimer d'une autre façon. Ces poèmes sont l'histoire de notre amour qui fut grand dans toutes ses manifestations. Il y apportait la même passion que dans ses combats, dans ses luttes contre les injustices. Il souffrait des maux et de la misère non seulement de son peuple, mais de tous les peuples, il faisait siennes toutes les luttes pour les vaincre et s'engageait de toute son âme.

Je ne suis pas très littéraire et ne peux donc parler de la qualité de ces poèmes, en dehors de leur valeur humaine qui est indiscutable. Le Capitaine n'a peut-être jamais pensé qu'un jour ces vers seraient publiés, mais je crois que mon devoir est aujourd'hui de les porter à la connaissance des lecteurs.

Très cordialement à vous,

ROSARIO DE LA CERDA

El amor

EN TI LA TIERRA

Pequeña
rosa,
rosa pequeña,
a veces,
diminuta y desnuda,
parece
que en una mano mía
cabes,
que así voy a cerrarte
y llevarte a mi boca,
pero
de pronto
mis pies tocan tus pies y mi boca tus labios,
has crecido,
suben tus hombros como dos colinas,
tus pechos se pasean por mi pecho,
mi brazo alcanza apenas a rodear la delgada

L'amour

EN TOI LA TERRE

Petite
rose,
rose menue,
parfois,
minuscule et nue,
on dirait
que tu tiens
dans une seule de mes mains,
que je vais t'y emprisonner
et à ma bouche te porter,
mais
soudain
mes pieds touchent tes pieds et ma bouche tes
　　lèvres,
tu as grandi,
tes épaules s'élèvent comme deux collines
et voici que tes seins se promènent sur ma poitrine,
mon bras parvient à peine à entourer la mince
　　ligne,

línea de luna nueva que tiene tu cintura :
en el amor como agua de mar te has desatado :
mido apenas los ojos más extensos del cielo
y me inclino a tu boca para besar la tierra.

le croissant de nouvelle lune de ta taille :
dans l'amour tu t'es déchaînée comme l'eau de la
    mer :
je mesure à peine les yeux les plus vastes du ciel
et je me penche sur ta bouche pour embrasser la
    terre.

LA REINA

Yo te he nombrado reina.
Hay más altas que tú, más altas.
Hay más puras que tú, más puras.
Hay más bellas que tú, hay más bellas.

Pero tú eres la reina.

Cuando vas por las calles
nadie te reconoce.
Nadie ve tu corona de cristal, nadie mira
la alfombra de oro rojo
que pisas donde pasas,
la alfombra que no existe.

Y cuando asomas
suenan todos los ríos
en mi cuerpo, sacuden
el cielo las campanas,
y un himno llena el mundo.

LA REINE

Je t'ai proclamée reine.
Il en est de plus grandes que toi, de plus grandes.
Il en est de plus pures que toi, de plus pures.
Il en est de plus belles que toi, de plus belles.

Mais toi tu es la reine.

Marches-tu dans la rue,
nul ne te reconnaît.
Nul ne voit ta couronne de cristal, nul ne regarde
le tapis d'or fauve
que foule ton pied où tu passes,
le tapis qui n'existe pas.

Mais quand tu apparais
tous les fleuves tintinnabulent
dans mon corps, les cloches ébranlent
le ciel entier,
et un hymne remplit le monde.

Sólo tú y yo,
sólo tú y yo, amor mío,
lo escuchamos.

Seuls toi et moi,
seuls toi et moi, ô mon amour,
nous l'entendons.

EL ALFARERO

Todo tu cuerpo tiene
copa o dulzura destinada a mí.

Cuando subo la mano
encuentro en cada sitio una paloma
que me buscaba, como
si te hubieran, amor, hecho de arcilla
para mis propias manos de alfarero.

Tus rodillas, tus senos,
tu cintura
faltan en mí como en el hueco
de una tierra sedienta
de la que desprendieron
una forma,
y juntos
somos completos como un solo río,
como una sola arena.

LE POTIER

Ton corps entier possède
la coupe ou la douceur qui me sont destinées.

Quand je lève la main
je trouve en chaque endroit une colombe
qui me cherchait,
comme si, mon amour, d'argile on t'avait faite
pour mes mains de potier.

Tes genoux, tes seins
et tes hanches
me manquent comme au creux
d'une terre assoiffée
d'où l'on a détaché
une forme,
et ensemble
nous sommes un tout comme l'est un fleuve
ou comme le sable.

8 DE SEPTIEMBRE

Hoy, este día fue una copa plena,
hoy, este día fue la inmensa ola,
hoy, fue toda la tierra.

Hoy el mar tempestuoso
nos levantó en un beso
tan alto que temblamos
a la luz de un relámpago
y, atados, descendimos
a sumergirnos sin desenlazarnos.

Hoy nuestros cuerpos se hicieron extensos,
crecieron hasta el límite del mundo
y rodaron fundiéndose
en una sola gota
de cera o meteoro.

Entre tú y yo se abrió una nueva puerta
y alguien, sin rostro aún,
allí nos esperaba.

8 SEPTEMBRE

Aujourd'hui, notre temps a été coupe pleine,
aujourd'hui, notre temps a été vague immense,
aujourd'hui, terre entière.

Aujourd'hui la mer, houle furieuse,
nous a portés si haut dans un baiser
que nous avons tremblé
sous l'éclair fulgurant
et l'un à l'autre liés, nous sommes descendus
au fond des eaux sans desserrer l'étreinte.

Aujourd'hui nos corps ont grandi, grandi,
ils sont arrivés jusqu'au bout du monde
et ils ont roulé, fusionné :
goutte unique
de cire ou météore.

Entre nous — toi et moi — une porte nouvelle
s'est ouverte où quelqu'un, encore sans visage,
nous attendait.

TUS PIES

Cuando no puedo mirar tu cara
miro tus pies.

Tus pies de hueso arqueado,
tus pequeños pies duros.

Yo sé que te sostienen,
y que tu dulce peso
sobre ellos se levanta.

Tu cintura y tus pechos,
la duplicada púrpura
de tus pezones,
la caja de tus ojos
que recién han volado,
tu ancha boca de fruta,
tu cabellera roja,
pequeña torre mía.

TES PIEDS

Quand je ne peux regarder ton visage
je regarde tes pieds.

Tes pieds. Leur os cambré.
Tes deux petits pieds durs.

Je sais bien qu'ils te portent
et que sur eux se dresse
le doux poids de ton corps.

Et ta taille et tes seins,
le pourpre jumelé
de leurs pointes dressées
et l'écrin de tes yeux
envolés depuis peu,
le grand fruit de ta bouche,
ta rousse chevelure,
petite et mienne tour.

Pero no amo tus pies
sino porque anduvieron
sobre la tierra y sobre
el viento y sobre el agua,
hasta que me encontraron.

Mais je n'aime tes pieds
que pour avoir marché
sur la terre et aussi
sur le vent et sur l'eau
jusqu'à me rencontrer.

TUS MANOS

Cuando tus manos salen,
amor, hacia las mías,
qué me traen volando ?
Por qué se detuvieron
en mi boca, de pronto,
por qué las reconozco
como si entonces, antes,
las hubiera tocado,
como si antes de ser
hubieran recorrido
mi frente, mi cintura ?

Su suavidad venía
volando sobre el tiempo,
sobre el mar, sobre el humo,
sobre la primavera,
y cuando tú pusiste
tus manos en mi pecho,
reconocí esas alas
de paloma dorada,

TES MAINS

Lorsque tes mains s'envolent,
mon amour, vers les miennes,
que m'apporte leur vol?
Pourquoi s'être arrêtées
brusquement sur ma bouche,
se faisant familières
comme si lors, avant,
je les avais touchées,
comme si avant d'être
elles avaient couru
sur mon front, sur ma taille?

Leur douceur s'avançait
en volant sur le temps,
sur la mer, la fumée,
sur le printemps aussi,
et quand tu as posé
tes mains sur ma poitrine,
j'ai reconnu ces ailes
de colombe dorée,

reconocí esa greda
y ese color de trigo.

Los años de mi vida
yo caminé buscándolas.
Subí las escaleras,
crucé los arrecifes,
me llevaron los trenes,
las aguas me trajeron,
y en la piel de las uvas
me pareció tocarte.
La madera de pronto
me trajo tu contacto,
la almendra me anunciaba
tu suavidad secreta,
hasta que se cerraron
tus manos en mi pecho
y allí como dos alas
terminaron su viaje.

reconnu cette argile,
cette couleur de blé.

J'ai passé mes années
à marcher, les quêtant.
J'ai franchi les récifs,
gravi les escaliers,
les trains m'ont emmené,
les eaux m'ont ramené,
dans la peau du raisin
je croyais te palper.
Le bois m'a apporté
un beau jour ton contact,
l'amande m'annonçait
ta secrète douceur,
lorsque sur ma poitrine
tes mains se sont fermées
et là comme deux ailes
ont fini leur voyage.

TU RISA

Quítame el pan, si quieres,
quítame el aire, pero
no me quites tu risa.

No me quites la rosa,
la lanza que desgranas,
el agua que de pronto
estalla en tu alegría,
la repentina ola
de plata que te nace.

Mi lucha es dura y vuelvo
con los ojos cansados
a veces de haber visto
la tierra que no cambia,
pero al entrar tu risa
sube al cielo buscándome
y abre para mí todas
las puertas de la vida.

TON RIRE

Tu peux m'ôter le pain,
m'ôter l'air, si tu veux :
ne m'ôte pas ton rire.

Ne m'ôte pas la rose,
le fer que tu égrènes
ni l'eau qui brusquement
éclate dans ta joie
ni la vague d'argent
qui déferle de toi.

De ma lutte si dure
je rentre les yeux las
quelquefois d'avoir vu
la terre qui ne change
mais, dès le seuil, ton rire
monte au ciel, me cherchant
et ouvrant pour moi toutes
les portes de la vie.

Amor mío, en la hora
más oscura desgrana
tu risa, y si de pronto
ves que mi sangre mancha
las piedras de la calle,
ríe, porque tu risa
será para mis manos
como una espada fresca.

Junto al mar en otoño,
tu risa debe alzar
su cascada de espuma,
y en primavera, amor,
quiero tu risa como
la flor que yo esperaba,
la flor azul, la rosa
de mi patria sonora.

Ríete de la noche,
del día, de la luna,
ríete de las calles
torcidas de la isla,
ríete de este torpe
muchacho que te quiere,
pero cuando yo abro
los ojos y los cierro,
cuando mis pasos van,
cuando vuelven mis pasos,
niégame el pan, el aire,
la luz, la primavera,
pero tu risa nunca
porque me moriría.

À l'heure la plus sombre
égrène, mon amour,
ton rire, et si tu vois
mon sang tacher soudain
les pierres de la rue,
ris : aussitôt ton rire
se fera pour mes mains
fraîche lame d'épée.

Dans l'automne marin
fais que ton rire dresse
sa cascade d'écume,
et au printemps, amour,
que ton rire soit comme
la fleur que j'attendais,
la fleur guède, la rose
de mon pays sonore.

Moque-toi de la nuit,
du jour et de la lune,
moque-toi de ces rues
divagantes de l'île,
moque-toi de cet homme
amoureux maladroit,
mais lorsque j'ouvre, moi,
les yeux ou les referme,
lorsque mes pas s'en vont,
lorsque mes pas s'en viennent,
refuse-moi le pain,
l'air, l'aube, le printemps,
mais ton rire jamais
car alors j'en mourrais.

EL INCONSTANTE

Los ojos se me fueron
detrás de una morena
que pasó.

Era de nácar negro,
era de uvas moradas,
y me azotó la sangre
con su cola de fuego.

Detrás de todas
me voy.

Pasó una clara rubia
como una planta de oro
balanceando sus dones.
Y mi boca se fue
como con una ola
descargando en su pecho
relámpagos de sangre.

L'INCONSTANT

Mes yeux s'en sont allés
derrière une brunette
qui passait.

Était de nacre noire,
était raisin violet.
De sa traîne de feu
elle a fouetté mon sang.

Après toutes les filles
je vais toujours ainsi.

Une blonde est passée
telle une plante d'or
en balançant ses charmes.
Et ma bouche s'est faite
vague qui s'en allait
décharger des éclairs
de sang sur sa poitrine.

Detrás de todas
me voy.

Pero a ti, sin moverme,
sin verte, tú distante,
van mi sangre y mis besos,
morena y clara mía,
alta y pequeña mía,
ancha y delgada mía,
mi fea, mi hermosura,
hecha de todo el oro
y de toda la plata,
hecha de todo el trigo
y de toda la tierra,
hecha de toda el agua
de las olas marinas,
hecha para mis brazos,
hecha para mis besos,
hecha para mi alma.

Après toutes les filles
je vais toujours ainsi.

Mais vers toi, sans bouger,
sans te voir, ma lointaine,
mon sang, mes baisers volent,
ma brunette et clairette,
ma grande et ma petite,
ma vaste et ma menue,
ma jolie laideronne,
faite de tout l'argent
et faite de tout l'or,
faite de tout le blé
et de toute la terre,
faite de toute l'eau
des vagues de la mer,
faite pour mes deux bras,
faite pour mes baisers,
faite, oui, pour mon cœur.

LA NOCHE EN LA ISLA

Toda la noche he dormido contigo
junto al mar, en la isla.
Salvaje y dulce eras entre el placer y el sueño,
entre el fuego y el agua.

Tal vez muy tarde
nuestros sueños se unieron
en lo alto o en el fondo,
arriba como ramas que un mismo viento mueve,
abajo como rojas raíces que se tocan.

Tal vez tu sueño
se separó del mío
y por el mar oscuro
me buscaba
como antes,
cuando aún no existías,
cuando sin divisarte

LA NUIT DANS L'ÎLE

Toute la nuit j'ai dormi avec toi
près de la mer, dans l'île.
Sauvage et douce tu étais entre le plaisir et le som-
    meil, entre
le feu et l'eau.

Très tard peut-être
nos sommeils se sont-ils unis
par le sommet ou par le fond,
là-haut comme des branches agitées par le même
    vent,
en bas comme rouges racines se touchant.

Peut-être ton sommeil
s'est-il aussi dépris du mien
et sur la mer et sur sa nuit
m'a-t-il cherché
comme avant toi et moi,
quand tu n'existais pas encore,
quand sans t'apercevoir

navegué por tu lado,
y tus ojos buscaban
lo que ahora
— pan, vino, amor y cólera —
te doy a manos llenas
porque tú eres la copa
que esperaba los dones de mi vida.

He dormido contigo
toda la noche mientras
la oscura tierra gira
con vivos y con muertos,
y al despertar de pronto
en medio de la sombra
mi brazo rodeaba tu cintura.
Ni la noche, ni el sueño
pudieron separarnos.

He dormido contigo
y al despertar tu boca
salida de tu sueño
me dio el sabor de tierra,
de agua marina, de algas,
del fondo de tu vida,
y recibí tu beso
mojado por la aurora
como si me llegara
del mar que nos rodea.

je naviguais de ton côté
et que tes yeux cherchaient
ce qu'aujourd'hui
— pain, vin, amour, colère —
je t'offre à pleines mains
à toi, la coupe
qui attendait de recevoir les présents de ma vie.

J'ai dormi avec toi
toute la nuit alors
que la terre en sa nuit tournait
avec ses vivants et ses morts,
et lorsque je me réveillais
soudain, par l'ombre environné,
mon bras te prenait par la taille.
La nuit ni le sommeil
n'ont pu nous séparer.

J'ai dormi avec toi
et ta bouche, au réveil,
sortie de ton sommeil
m'a donné la saveur de terre,
d'algues, d'onde marine,
qui s'abrite au fond de ta vie.
Alors j'ai reçu ton baiser
que l'aurore mouillait
comme s'il m'arrivait
de cette mer qui nous entoure.

EL VIENTO EN LA ISLA

El viento es un caballo :
óyelo cómo corre
por el mar, por el cielo.

Quiere llevarme : escucha
cómo recorre el mundo
para llevarme lejos.

Escóndeme en tus brazos
por esta noche sola,
mientras la lluvia rompe
contra el mar y la tierra
su boca innumerable.

Escucha cómo el viento
me llama galopando
para llevarme lejos.

Con tu frente en mi frente,
con tu boca en mi boca,

LE VENT DANS L'ÎLE

Le vent est un cheval :
écoute comme il court
à travers mer et ciel.

Pour m'emmener : écoute
comme il parcourt le monde
pour m'emmener au loin.

Cache-moi dans tes bras,
cette nuit solitaire,
tandis que la pluie blesse
à la mer, à la terre,
innombrable, sa bouche.

Entends comme le vent
m'appelle en galopant
pour m'emmener au loin.

Ton front contre mon front,
ta bouche sur ma bouche,

atados nuestros cuerpos
al amor que nos quema,
deja que el viento pase
sin que pueda llevarme.

Deja que el viento corra
coronado de espuma,
que me llame y me busque
galopando en la sombra,
mientras yo, sumergido
bajo tus grandes ojos,
por esta noche sola
descansaré, amor mío.

nos deux corps amarrés
à l'amour qui nous brûle,
laisse le vent passer,
qu'il ne m'emporte pas.

Laisse courir le vent
d'écume couronné,
qu'il m'appelle et me cherche
en galopant dans l'ombre,
tandis que moi, plongé
au fond de tes grands yeux,
cette nuit solitaire,
amour, reposerai.

LA INFINITA

Ves estas manos ? Han medido
la tierra, han separado
los minerales y los cereales,
han hecho la paz y la guerra,
han derribado las distancias
de todos los mares y ríos,
y sin embargo
cuando te recorren
a ti, pequeña,
grano de trigo, alondra,
no alcanzan a abarcarte,
se cansan alcanzando
las palomas gemelas
que reposan o vuelan en tu pecho,
recorren las distancias de tus piernas,
se enrollan en la luz de tu cintura.
Para mí eres tesoro más cargado
de inmensidad que el mar y sus racimos
y eres blanca y azul y extensa como
la tierra en la vendimia.

L'INFINIE

Tu vois ces mains ? Elles ont mesuré
la terre, elles ont séparé
minéraux et céréales,
elles ont fait la paix, la guerre,
abattu les distances
de toutes les mers et de tous les fleuves,
pourtant,
quand elles te parcourent
toi, la petite,
le grain de blé, l'alouette,
elles n'arrivent pas à t'étreindre en entier,
elles peinent pour atteindre
les colombes jumelles
qui sur tes seins reposent ou volent,
elles parcourent les distances de tes jambes,
elles s'enroulent à la clarté de ta ceinture.
Tu es pour moi un trésor plus chargé
d'immensité que la mer et ses grappes
et tu es blanche et bleue et tu es vaste comme
la terre à l'heure des vendanges.

En ese territorio,
de tus pies a tu frente,
andando, andando, andando,
me pasaré la vida.

Sur ce territoire,
de tes pieds à ton front
je passerai ma vie
à marcher, à marcher, à marcher.

BELLA

Bella,
como en la piedra fresca
del manantial, el agua
abre un ancho relámpago de espuma,
así es la sonrisa de tu rostro,
bella.

Bella,
de finas manos y delgados pies
como un caballito de plata,
andando, flor del mundo,
así te veo,
bella.

Bella,
con un nido de cobre enmarañado
en tu cabeza, un nido
color de miel sombría
donde mi corazón arde y reposa,
bella.

BELLE

Belle,
pareil à l'eau qui sur la pierre fraîche
de la source
ouvre son grand éclair d'écume,
est ton sourire,
belle.

Belle,
aux fines mains, aux pieds déliés
comme un petit cheval d'argent,
fleur du monde, marchant,
je te vois moi,
belle.

Belle,
avec un nid de cuivre enchevêtré
dans la tête, un nid
d'une brune couleur de miel
où mon cœur brûle et se repose,
belle.

Bella,
no te caben los ojos en la cara,
no te caben los ojos en la tierra.
Hay países, hay ríos
en tus ojos,
mi patria está en tus ojos,
yo camino por ellos,
ellos dan luz al mundo
por donde yo camino,
bella.

Bella,
tus senos son como dos panes hechos
de tierra cereal y luna de oro,
bella.

Bella,
tu cintura
la hizo mi brazo como un río cuando
pasó mil años por tu dulce cuerpo,
bella.

Bella,
no hay nada como tus caderas,
tal vez la tierra tiene
en algún sitio oculto
la curva y el aroma de tu cuerpo,
tal vez en algún sitio,
bella.

Bella, mi bella,
tu voz, tu piel, tus uñas,

Belle,
aux yeux trop grands pour ton visage,
aux yeux trop grands pour la planète.
Il y a des pays, des fleuves
dans tes yeux,
ma patrie se tient dans tes yeux,
je vagabonde à travers eux,
ils donnent sa clarté au monde
partout où s'avancent mes pas,
belle.

Belle,
tes seins sont pareils à deux pains
— terre froment et lune d'or —,
belle.

Belle,
ta taille
mon bras l'a faite comme un fleuve
mille années parcourant la douceur de ta chair,
belle.

Belle,
rien n'a le charme de tes hanches,
la terre en quelque lieu caché
a peut-être, elle,
la courbe de ton corps et son parfum,
en quelque lieu peut-être,
belle.

Belle, ma belle,
ta voix, ta peau, tes ongles,

bella, mi bella,
tu ser, tu luz, tu sombra,
bella,
todo eso es mío, bella,
todo eso es mío, mía,
cuando andas o reposas,
cuando cantas o duermes,
cuando sufres o sueñas,
siempre,
cuando estás cerca o lejos,
siempre,
eres mía, mi bella,
siempre.

belle, ma belle,
ton être, ta clarté, ton ombre,
belle,
tout cela est mien, belle,
tout cela, mienne, m'appartient,
lorsque tu marches ou te reposes,
lorsque tu chantes ou que tu dors,
lorsque tu souffres ou que tu rêves,
toujours,
lorsque tu es proche ou lointaine,
toujours,
ma belle, tu es mienne,
toujours.

LA RAMA ROBADA

En la noche entraremos
a robar
una rama florida.

Pasaremos el muro,
en las tinieblas del jardín ajeno,
dos sombras en la sombra.

Aún no se fue el invierno,
y el manzano aparece
convertido de pronto
en cascada de estrellas olorosas.

En la noche entraremos
hasta su tembloroso firmamento,
y tus pequeñas manos y las mías
robarán las estrellas.

Y sigilosamente,
a nuestra casa,

LA BRANCHE VOLÉE

Dans la nuit nous allons entrer
voler
une branche en fleur.

Nous allons franchir le mur,
dans les ténèbres du jardin de quelqu'un d'autre,
deux ombres dans l'ombre.

L'hiver n'est point parti encore
et l'on dirait que le pommier
brusquement s'est changé
en cascade d'étoiles parfumées.

Dans la nuit nous allons entrer
jusqu'à son tremblant firmament,
et tes petites mains avec les miennes
voleront les étoiles.

Alors, et en catimini,
chez nous,

en la noche y la sombra,
entrará con tus pasos
el silencioso paso del perfume
y con pies estrellados
el cuerpo claro de la primavera.

dans l'ombre et dans la nuit,
entrera avec tes pas
le pas silencieux du parfum
et avec des pieds constellés
le corps lumineux du printemps.

EL HIJO

Ay hijo, sabes, sabes
de dónde vienes ?

De un lago con gaviotas
blancas y hambrientas.

Junto al agua de invierno
ella y yo levantamos
una fogata roja
gastándonos los labios
de besarnos el alma,
echando al fuego todo,
quemándonos la vida.

Así llegaste al mundo.

Pero ella para verme
y para verte un día
atravesó los mares
y yo para abrazar

LE FILS

Ah ! mon enfant, sais-tu
d'où tu viens, le sais-tu ?

D'un lac avec des mouettes
blanches et affamées.

Près de l'eau hivernale
nous avons, elle et moi,
dressé un brasier rouge
en épuisant nos lèvres
à embrasser nos cœurs,
en jetant tout aux flammes,
en brûlant nos deux vies.

Ainsi fut ta naissance.

Mais elle pour me voir
et pour te voir un jour
a traversé les mers
et moi pour enlacer

su pequeña cintura
toda la tierra anduve,
con guerras y montañas,
con arenas y espinas.

Así llegaste al mundo.

De tantos sitios vienes,
del agua y de la tierra,
del fuego y de la nieve,
de tan lejos caminas
hacia nosotros dos,
desde el amor terrible
que nos ha encadenado,
que queremos saber
cómo eres, qué nos dices,
porque tú sabes más
del mundo que te dimos.

Como una gran tormenta
sacudimos nosotros
el árbol de la vida
hasta las más ocultas
fibras de las raíces
y apareces ahora
cantando en el follaje,
en la más alta rama
que contigo alcanzamos.

sa fine taille, j'ai
couru le monde entier,
ses guerres, ses montagnes,
ses sables, ses épines.

Ainsi fut ta naissance.

Tu viens de tant de lieux,
de l'eau et de la terre,
du feu et de la neige,
tu marches de si loin
au-devant de nous deux,
de cet amour terrible
qui nous a enchaînés,
que nous voulons savoir
comment tu es, oui, parle :
tu connais mieux ce monde
que nous t'avons donné.

Comme un violent orage
nous avons agité
tout l'arbre de la vie,
secoué au plus caché
les fibres des racines,
et déjà te voici
chantant parmi les feuilles,
sur la plus haute branche
que tu nous fais atteindre.

LA TIERRA

La tierra verde se ha entregado
a todo lo amarillo, oro, cosechas,
terrones, hojas, grano,
pero cuando el otoño se levanta
con su estandarte extenso
eres tú la que veo,
es para mí tu cabellera
la que reparte las espigas.

Veo los monumentos
de antigua piedra rota,
pero si toco
la cicatriz de piedra
tu cuerpo me responde,
mis dedos reconocen
de pronto, estremecidos,
tu caliente dulzura.

Entre los héroes paso
recién condecorados

LA TERRE

La terre verte s'est donnée
au jaune entier, or et récoltes,
mottes, feuilles, grain, et pourtant
lorsque l'automne se levant
brandit son immense étendard
c'est toi qu'en cette heure je vois
et pour moi c'est ta chevelure
qui distribue tous les épis.

Je regarde les monuments,
leurs vieilles pierres mutilées,
mais si je touche
cette cicatrice de pierre
c'est ton corps, lui, qui me répond
et mes doigts soudain reconnaissent,
frémissants,
ta chaude douceur.

Je passe au milieu des héros
que terre et poudre

por la tierra y la pólvora
y detrás de ellos, muda,
con tus pequeños pasos,
eres o no eres ?

Ayer, cuando sacaron
de raíz, para verlo,
el viejo árbol enano,
te vi salir mirándome
desde las torturadas
y sedientas raíces.

Y cuando viene el sueño
a extenderme y llevarme
a mi propio silencio
hay un gran viento blanco
que derriba mi sueño
y caen de él las hojas,
caen como cuchillos
sobre mí desangrándome.

Y cada herida tiene
la forma de tu boca.

ont achevé de décorer
et derrière eux cette présence
muette, ces pas, tes pas menus,
est-ce toi ou n'est-ce pas toi ?

Hier, quand on a arraché
pour le voir
le vieil arbre nain,
c'est tes yeux que j'ai vus surgir
de ces racines torturées
et assoiffées me regardant.

Et lorsque le sommeil paraît
pour m'étendre et pour m'emporter
vers mon propre silence
un grand vent blanc alors se lève
qui abat mon sommeil, les feuilles
en tombent,
tombent sur moi tels des couteaux
vidant mes veines de leur sang.

Et chaque blessure a
la forme de ta bouche.

AUSENCIA

Apenas te he dejado,
vas en mí, cristalina
o temblorosa,
o inquieta, herida por mí mismo
o colmada de amor, como cuando tus ojos
se cierran sobre el don de la vida
que sin cesar te entrego.

Amor mío,
nos hemos encontrado
sedientos y nos hemos
bebido toda el agua y la sangre,
nos encontramos
con hambre
y nos mordimos
como el fuego muerde,
dejándonos heridas.

ABSENCE

Je te laisse : aussitôt
tu circules en moi, cristalline
ou tremblante
ou inquiète, blessée par moi
ou tout d'amour comblée, comme en cet instant
   où tes yeux
se ferment sur le présent de la vie
que je ne cesse de t'offrir.

Mon amour,
quand nous nous sommes rencontrés
nous avions soif et nous avons
bu toute l'eau et tout le sang,
quand nous nous sommes rencontrés
nous avions faim
alors nous nous sommes mordus
comme le feu,
il nous en resta des blessures.

Pero espérame,
guárdame tu dulzura.
Yo te daré también
una rosa.

Mais attends-moi,
garde-moi ta douceur.
Et je t'offrirai aussi
une rose.

El deseo

EL TIGRE

Soy el tigre.
Te acecho entre las hojas
anchas como lingotes
de mineral mojado.

El río blanco crece
bajo la niebla. Llegas.

Desnuda te sumerges.
Espero.

Entonces en un salto
de fuego, sangre, dientes,
de un zarpazo derribo
tu pecho, tus caderas.

Bebo tu sangre, rompo
tus miembros uno a uno.

Le désir

LE TIGRE

Je suis le tigre.
Je te guette parmi les feuilles
aussi grandes que des lingots
de minerai mouillé.

Le fleuve blanc grandit
sous la brume. Te voici.

Tu plonges nue.
J'attends.

Alors d'un bond,
feu, sang et dents,
ma griffe abat
ta poitrine, tes hanches.

Je bois ton sang, je brise
tes membres, un à un.

Y me quedo velando
por años en la selva
tus huesos, tu ceniza,
inmóvil, lejos
del odio y de la cólera,
desarmado en tu muerte,
cruzado por las lianas,
inmóvil en la lluvia,
centinela implacable
de mi amor asesino.

Et je reste dans la forêt
à veiller durant des années
tes os, ta cendre,
immobile, à l'écart
de la haine et de la colère,
désarmé par ta mort,
traversé par les lianes,
immobile sous la pluie,
sentinelle implacable
de mon amour, cet assassin.

EL CÓNDOR

Yo soy el cóndor, vuelo
sobre ti que caminas
y de pronto en un ruedo
de viento, pluma, garras,
te asalto y te levanto
en un ciclón silbante
de huracanado frío.

Y a mi torre de nieve,
a mi guarida negra
te llevo y sola vives,
y te llenas de plumas
y vuelas sobre el mundo,
inmóvil, en la altura.

Hembra cóndor, saltemos
sobre esta presa roja,
desgarremos la vida
que pasa palpitando
y levantemos juntos
nuestro vuelo salvaje.

LE CONDOR

Je suis le condor et je plane
au-dessus de toi qui t'avances
et soudain dans un tournoiement
de vent, de plumes et de griffes,
sur toi je fonds et je t'enlève
— cyclone qui siffle, impétueux,
et tout de froid tourbillonnant.

Jusqu'à ma tour de neige, là
où s'ouvre la nuit de mon antre,
je t'emporte et tu y vis seule
et ton corps se couvre de plumes
et tu te fais vol sur le monde,
immobile, dans la hauteur.

Condor femelle, élançons-nous
sur cette proie, rouge victime,
déchiquetons la vie qui passe
agitée de frémissements,
puis reprenons d'un seul élan,
ensemble, notre vol sauvage.

EL INSECTO

De tus caderas a tus pies
quiero hacer un largo viaje.

Soy más pequeño que un insecto.

Voy por estas colinas,
son de color de avena,
tienen delgadas huellas
que sólo yo conozco,
centímetros quemados,
pálidas perspectivas.

Aquí hay una montaña.
No saldré nunca de ella.
Oh qué musgo gigante!
Y un cráter, una rosa
de fuego humedecido!

Por tus piernas desciendo
hilando una espiral

L'INSECTE

De tes hanches à tes pieds
je veux faire un long voyage.

Moi, plus petit qu'un insecte.

Je vais parmi ces collines,
elles sont couleur d'avoine
avec des traces légères
que je suis seul à connaître,
des centimètres roussis,
de blafardes perspectives.

Là se dresse une montagne.
Jamais je n'en sortirai.
Ô quelle mousse géante !
Et un cratère, une rose
de feu mouillé de rosée !

Par tes jambes je descends
en filant une spirale

o durmiendo en el viaje
y llego a tus rodillas
de redonda dureza
como a las cimas duras
de un claro continente.

Hacia tus pies resbalo,
a las ocho aberturas
de tus dedos agudos,
lentos, peninsulares,
y de ellos al vacío
de la sábana blanca
caigo, buscando ciego
y hambriento tu contorno
de vasija quemante!

ou dormant dans le voyage
et j'arrive à tes genoux,
à leur ronde dureté
pareille aux âpres sommets
d'un continent de clarté.

Puis je glisse vers tes pieds
et vers les huit ouvertures
de tes doigts, fuseaux pointus,
tes doigts lents, péninsulaires,
et je tombe de leur haut
dans le vide du drap blanc
où je cherche, insecte aveugle
et affamé ton contour
de brûlante poterie !

Las furias

EL AMOR

Qué tienes, qué tenemos,
qué nos pasa ?
Ay, nuestro amor es una cuerda dura
que nos amarra hiriéndonos
y si queremos
salir de nuestra herida,
separarnos,
nos hace un nuevo nudo y nos condena
a desangrarnos y quemarnos juntos.

Qué tienes ? Yo te miro
y no hallo nada en ti sino dos ojos
como todos los ojos, una boca
perdida entre mil bocas que besé, más hermosas,
un cuerpo igual a los que resbalaron
bajo mi cuerpo sin dejar memoria.

Y qué vacía por el mundo ibas
como una jarra de color de trigo

Les rages

L'AMOUR

Mais qu'as-tu? Qu'avons-nous?
Que nous arrive-t-il?
Ah! notre amour est une corde dure
qui nous amarre et qui nous blesse
et qui, si nous cherchons
à sortir de notre blessure,
à nous détacher l'un de l'autre,
ajoute un nouveau nœud et nous condamne
à perdre notre sang et à brûler ensemble.

Qu'as-tu? Je te regarde
et je ne trouve en toi rien d'autre que deux yeux
pareils à tous les yeux, une bouche
perdue entre mille bouches plus belles que j'ai
    embrassées,
un corps en tout semblable à ceux qui ont glissé
sous mon corps sans laisser trace de souvenir.

Et comme tu allais vide à travers le monde
telle une jarre couleur de blé

sin aire, sin sonido, sin substancia !
Yo busqué en vano en ti
profundidad para mis brazos
que excavan, sin cesar, bajo la tierra :
bajo tu piel, bajo tus ojos
nada,
bajo tu doble pecho levantado
apenas
una corriente de orden cristalino
que no sabe por qué corre cantando.
Por qué, por qué, por qué,
amor mío, por qué ?

n'ayant air ni son ni substance !
C'est en vain qu'en toi j'ai cherché
la profondeur pour mes deux bras
qui creusent sans fin, sous la terre :
sous ta peau, sous tes yeux
rien,
sous les deux courbes fermes de tes seins
à peine
un courant d'ordre cristallin
qui ne sait pas pourquoi il court et chante.
Pourquoi, pourquoi, pourquoi ?
ah ! mon amour, pourquoi ?

SIEMPRE

Antes de mí
no tengo celos.

Ven con un hombre
a la espalda,
ven con cien hombres en tu cabellera,
ven con mil hombres entre tu pecho y tus pies,
ven como un río
lleno de ahogados
que encuentra el mar furioso,
la espuma eterna, el tiempo!

Tráelos todos
adonde yo te espero :
siempre estaremos solos,
siempre estaremos tú y yo
solos sobre la tierra
para comenzar la vida!

TOUJOURS

Je ne suis point jaloux
de qui m'a précédé.

Viens avec un homme
ancré à tes pas,
viens avec cent hommes dans ta chevelure,
viens avec mille hommes entre ta poitrine et tes
    pieds,
viens comme le fleuve
chargé de noyés
et découvrant la mer furieuse,
l'écume éternelle, le temps !

Viens avec eux tous
là où je t'attends :
nous serons toujours seuls,
il n'y aura toujours que toi et moi
seuls sur la terre
pour commencer la vie !

EL DESVÍO

Si tu pie se desvía de nuevo,
será cortado.

Si tu mano te lleva
a otro camino
se caerá podrida.

Si me apartas tu vida
morirás
aunque vivas.

Seguirás muerta o sombra,
andando sin mí por la tierra.

L'ÉCART

Si ton pied à nouveau s'égare,
il sera tranché.

Si ta main te conduit
vers un autre chemin,
elle tombera gangrenée.

Si tu m'écartes de ta vie,
tu mourras
même si tu restes vivante.

Morte ou fantôme tu seras,
en marchant sans moi sur la terre.

LA PREGUNTA

Amor, una pregunta
te ha destrozado.

Yo he regresado a ti
desde la incertidumbre con espinas.

Te quiero recta como
la espada o el camino.

Pero te empeñas
en guardar un recodo
de sombra que no quiero.

Amor mío,
compréndeme,
te quiero toda,
de ojos a pies, a uñas,
por dentro,
toda la claridad, la que guardabas.

LA QUESTION

Te voici, mon amour,
ravagée par une question.

Du doute je suis revenu
avec des épines vers toi.

Je te veux droite comme
l'épée ou le chemin.

Et pourtant tu t'acharnes
à garder un recoin
d'ombre que je n'accepte.

Mon amour,
comprends-moi,
je te veux toute, toute,
des yeux aux pieds, aux ongles,
au-dedans,
clarté, cette clarté que tu gardais en toi.

Soy yo, amor mío,
quien golpea tu puerta.
No es el fantasma, no es
el que antes se detuvo
en tu ventana.
Yo echo la puerta abajo :
yo entro en toda tu vida :
vengo a vivir en tu alma :
tú no puedes conmigo.

Tienes que abrir puerta a puerta,
tienes que obedecerme,
tienes que abrir los ojos
para que busque en ellos,
tienes que ver cómo ando
con pasos pesados
por todos los caminos
que, ciegos, me esperaban.

No me temas,
soy tuyo,
pero
no soy el pasajero ni el mendigo,
soy tu dueño,
el que tú esperabas,
y ahora entro
en tu vida,
para no salir más,
amor, amor, amor,
para quedarme.

C'est moi, mon amour, moi
qui à ta porte frappe.
Ce n'est pas le fantôme,
celui qui s'arrêta
hier à ta fenêtre.
Je fais voler ta porte :
j'entre en ta vie entière :
dans ton cœur je viens vivre :
tu ne peux résister.

Tu dois me faire entrer
partout, et m'obéir,
tu dois ouvrir les yeux
pour que je les inspecte,
voir comment je m'avance,
voir comment mon pas lourd
franchit tous les chemins
fermés, qui m'attendaient.

Écarte cette peur,
je suis à toi,
mais non
celui qui passe ou qui mendie,
je suis ton maître,
celui-là que tu attendais,
et j'entre
dans ta vie
pour n'en plus ressortir,
amour, amour, amour,
pour n'en plus jamais ressortir.

LA PRÓDIGA

Yo te escogí entre todas las mujeres
para que repitieras
sobre la tierra
mi corazón que baila con espigas
o lucha sin cuartel cuando hace falta.

Yo te pregunto, dónde está mi hijo?

No me esperaba en ti, reconociéndome,
y diciéndome : « Llámame para salir sobre la tierra
a continuar tus luchas y tus cantos » ?

Devuélveme a mi hijo!

Lo has olvidado en las puertas
del placer, oh pródiga
enemiga,
has olvidado que viniste a esta cita,
la más profunda, aquella

LA DISSIPATRICE

Je t'ai choisie entre toutes les femmes
pour dédoubler
sur terre
mon cœur qui danse avec la beauté des épis
ou combat sans merci lorsque c'est nécessaire.

Je te demande : Où est mon fils ?

Ne m'attendait-il pas en toi, s'il me reconnaissait
et me disait : « Appelle-moi, je veux venir sur cette
     terre
y poursuivre tes luttes et tes chants » ?

Rends-moi mon fils !

L'as-tu oublié sur les seuils
du plaisir, ô dissipatrice
ennemie,
as-tu oublié que tu es venue au rendez-vous
le plus profond, celui

en que los dos, unidos, seguiremos hablando
por su boca, amor mío,
ay, todo aquello
que no alcanzamos a decirnos ?

Cuando yo te levanto en una ola
de fuego y sangre, y se duplica
la vida entre nosotros,
acuérdate
que alguien nos llama
como nadie jamás nos ha llamado
y que no respondemos
y nos quedamos solos y cobardes
ante la vida que negamos.

Pródiga,
abre las puertas,
y que en tu corazón
el nudo ciego
se desenlace y vuele
con tu sangre y la mía
por el mundo !

où tous les deux, unis, nous continuerons à parler,
mon amour, par sa bouche,
ah ! dire tout cela
que nous n'avons jamais réussi à nous dire ?

Lorsque ma vague, feu et sang,
te soulève, lorsque la vie
entre nous est gémination,
souviens-toi :
quelqu'un nous appelle
comme personne auparavant ne l'avait fait,
pourtant nous ne répondons pas
et nous restons là seuls et lâches
devant la vie que nous dénions.

Dissipatrice,
ouvre les portes,
que dans ton cœur
le nœud aveugle
se dénoue et déploie son vol
sur le monde
avec ton sang uni au mien !

EL DAÑO

Te he hecho daño, alma mía,
he desgarrado tu alma.

Entiéndeme.
Todos saben quién soy,
pero ese Soy
es además un hombre
para ti.

En ti vacilo, caigo
y me levanto ardiendo.
Tú entre todos los seres
tienes derecho
a verme débil.
Y tu pequeña mano
de pan y de guitarra
debe tocar mi pecho
cuando sale al combate.

LES BLESSURES

Je t'ai blessée, mon cœur,
j'ai déchiré ton cœur.

Laisse-moi t'expliquer.
Tous savent qui je suis
mais voilà, ce Je Suis
est de surcroît un homme
pour toi.

En toi je vacille, je tombe
et feu brûlant je me relève.
Tu as sur tous les autres
le droit
d'être témoin de mes faiblesses.
Et ta petite main
de pain et de guitare
doit toucher ma poitrine
quand je pars au combat.

Por eso busco en ti la firme piedra.
Asperas manos en tu sangre clavo
buscando tu firmeza
y la profundidad que necesito,
y si no encuentro
sino tu risa de metal, si no hallo
nada en qué sostener mis duros pasos,
adorada, recibe
mi tristeza y mi cólera,
mis manos enemigas
destruyéndote un poco
para que te levantes de la arcilla,
hecha de nuevo para mis combates.

Je cherche pour cela en toi la pierre stable.
Ancrant dans ton sang mes mains rudes
je quête en lui ta fermeté
et la profondeur nécessaire,
mais si ton rire de métal
seul me répond, si je ne trouve
aucun sol ferme à mes pas durs,
mon adorée, accueille alors
ma tristesse et ma colère,
mes mains ennemies détruisant
un peu de toi, ce qu'il faut pour
que tu te dresses de l'argile,
faite à nouveau pour mes combats.

EL POZO

A veces te hundes, caes
en tu agujero de silencio,
en tu abismo de cólera orgullosa,
y apenas puedes
volver, aún con jirones
de lo que hallaste
en la profundidad de tu existencia.

Amor mío, qué encuentras
en tu pozo cerrado?
Algas, ciénagas, rocas?
Qué ves con ojos ciegos,
rencorosa y herida?

Mi vida, no hallarás
en el pozo en que caes
lo que yo guardo para ti en la altura:
un ramo de jazmines con rocío,
un beso más profundo que tu abismo.

LE PUITS

Parfois tu t'enfonces, tu tombes
dans ton trou de silence,
dans ton abîme tout d'orgueilleuse colère
et c'est à peine si tu peux
revenir, même en lambeaux,
de ce que tu as découvert
dans la profondeur de ton existence.

Mon amour, que trouves-tu donc
dans ton puits impénétrable?
Des algues, des roches, des boues?
Que voient là-bas tes yeux aveugles
de blessée et de rancunière?

Ma vie, tu ne trouveras pas
dans le puits où tu tombes
ce que je conserve pour toi sur ce sommet :
un bouquet de jasmin que mouille la rosée,
un baiser plus profond que ton abîme.

No me temas, no caigas
en tu rencor de nuevo.
Sacude la palabra mía que vino a herirte
y déjala que vuele por la ventana abierta.
Ella volverá a herirme
sin que tú la dirijas
puesto que fue cargada con un instante duro
y ese instante será desarmado en mi pecho.

Sonríeme radiosa
si mi boca te hiere.
No soy un pastor dulce
como en los cuentos de hadas,
sino un buen leñador que comparte contigo
tierra, viento y espinas de los montes.

Amame tú, sonríeme,
ayúdame a ser bueno.
No te hieras en mí, que será inútil,
no me hieras a mí porque te hieres.

Ne me crains pas, ne tombe pas
dans la rancune de nouveau.
Secoue ce mot, le mien, qui vint te blesser, puis
laisse-le s'envoler par la fenêtre ouverte.
Pour me blesser il reviendra
mais sans être guidé par toi
et s'il est vrai qu'il fut chargé d'un dur instant
cet instant par mon cœur sera désamorcé.

Souris-moi radieuse
si ma bouche te blesse.
Je ne suis pas un doux berger
comme dans les contes de fées,
je suis un brave bûcheron qui partage avec toi
la terre, le vent, les épines des montagnes.

Aime-moi, souris-moi,
aide-moi à être bonté.
Ne te blesse pas à moi car c'est inutile,
ne me blesse pas moi car alors tu te blesses.

EL SUEÑO

Andando en las arenas
yo decidí dejarte.

Pisaba un barro oscuro
que temblaba,
y hundiéndome y saliendo
decidí que salieras
de mí, que me pesabas
como piedra cortante,
y elaboré tu pérdida
paso a paso :
cortarte las raíces,
soltarte sola al viento.

Ay, en ese minuto,
corazón mío, un sueño
con sus alas terribles
te cubría.

LE RÊVE

Je marchais dans les sables
et décidais de te laisser.

Une boue noire sous mes pieds
tremblait,
je m'enfonçais, je réchappais
en décidant que je devais
te rejeter, tu me blessais
comme un caillou tranchant,
pas à pas
je machinais ta perte :
arracher tes racines,
te livrer seule au vent.

Ah ! en cette minute
un rêve, mon amour,
de ses ailes terribles
te couvrait.

Te sentías tragada por el barro,
y me llamabas y yo no acudía,
te ibas, inmóvil,
sin defenderte
hasta ahogarte en la boca de arena.

Después
mi decisión se encontró con tu sueño,
y desde la ruptura
que nos quebraba el alma,
surgimos limpios otra vez, desnudos,
amándonos
sin sueño, sin arena,
completos y radiantes,
sellados por el fuego.

Tu sentais la boue te happer,
tu m'appelais, je ne bougeais,
tu disparaissais, immobile,
sans te défendre,
tu te noyais enfin dans la bouche de sable.

Et puis
ma décision et ton sommeil se sont rejoints
et de cette rupture
qui déchirait nos cœurs
nous avons resurgi, à nouveau propres, et nus,
nous nous sommes aimés
hors du rêve et du sable,
complets et radieux,
soudés par le feu.

SI TÚ ME OLVIDAS

Quiero que sepas
una cosa.

Tú sabes cómo es esto :
si miro
la luna de cristal, la rama roja
del lento otoño en mi ventana,
si toco
junto al fuego
la impalpable ceniza
o el arrugado cuerpo de la leña,
todo me lleva a ti,
como si todo lo que existe,
aromas, luz, metales,
fueran pequeños barcos que navegan
hacia las islas tuyas que me aguardan.

Ahora bien,
si poco a poco dejas de quererme
dejaré de quererte poco a poco.

SI TU M'OUBLIES

Je veux que tu saches
une chose.

Tu sais fort bien ce qu'il en est :
si je regarde
la lune de cristal, la branche rouge
du lent automne à ma fenêtre,
si je touche
près du feu
la cendre impalpable
ou le corps ridé du bois,
tout me conduit à toi,
comme si tout ce qui existe
— parfums, clarté, métaux —
était de petits bateaux naviguant
vers les îles, tes îles qui m'attendent.

Oui, mais voilà :
si peu à peu tu cesses de m'aimer
je cesserai de t'aimer peu à peu.

Si de pronto
me olvidas
no me busques
que ya te habré olvidado.

Si consideras largo y loco
el viento de banderas
que pasa por mi vida
y te decides
a dejarme a la orilla
del corazón en que tengo raíces,
piensa
que en ese día,
a esa hora
levantaré los brazos
y saldrán mis raíces
a buscar otra tierra.

Pero
si cada día,
cada hora
sientes que a mí estás destinada
con dulzura implacable.
Si cada día sube
una flor a tus labios a buscarme,
ay amor mío, ay mía,
en mí todo ese fuego se repite,
en mí nada se apaga ni se olvida,
mi amor se nutre de tu amor, amada,
y mientras vivas estará en tus brazos
sin salir de los míos.

Si, brusquement,
tu m'oubliais,
inutile de me chercher :
je t'aurai déjà oubliée.

Si par trop long, si par trop fou
te semble le vent de drapeaux
qui souffle dans ma vie,
si tu décides
de me laisser sur le rivage
du cœur où plongent mes racines,
pense
que ce jour-là
au même instant
mes bras se dresseront
et mes racines partiront
chercher une autre terre.

Pourtant,
si chaque jour,
chaque heure,
tu sens que tu m'es destinée
avec une douceur inexorable.
Si chaque jour une fleur monte
sur tes lèvres pour me chercher,
ah ! mon amour, ah ! mienne, mienne,
en moi tout ce feu se répète,
en moi rien ne s'éteint ni ne s'oublie,
mon amour, aimée, se nourrit du tien
et tant que tu vivras il sera dans tes bras
sans pour autant quitter les miens.

EL OLVIDO

Todo el amor en una copa
ancha como la tierra, todo
el amor con estrellas y espinas
te di, pero anduviste
con pies pequeños, con tacones sucios
sobre el fuego, apagándolo.

Ay gran amor, pequeña amada!

No me detuve en la lucha.
No dejé de marchar hacia la vida,
hacia la paz, hacia el pan para todos,
pero te alcé en mis brazos
y te clavé a mis besos
y te miré como jamás
volverán a mirarte ojos humanos.

Ay gran amor, pequeña amada!

L'OUBLI

Tout l'amour dans une coupe
grande comme la terre, tout
l'amour — étoiles et épines —
je te l'ai donné, mais tu as marché
avec tes petits pieds, avec tes talons sales
sur le feu, et tu l'as éteint.

Ah! grand amour, petite aimée!

Je ne me suis pas arrêté dans le combat.
Non, je n'ai pas cessé d'avancer vers la vie,
vers la paix, vers le pain pour tous,
mais je t'ai levée dans mes bras,
je t'ai fondue à mes baisers
et regardée comme jamais les yeux d'un homme
à nouveau te regarderont.

Ah! grand amour, petite aimée!

Entonces no mediste mi estatura,
y al hombre que para ti apartó
la sangre, el trigo, el agua
confundiste
con el pequeño insecto que te cayó en la falda.

Ay gran amor, pequeña amada!

No esperes que te mire en la distancia
hacia atrás, permanece
con lo que te dejé, pasea
con mi fotografía traicionada,
yo seguiré marchando,
abriendo anchos caminos contra la sombra, haciendo
suave la tierra, repartiendo
la estrella para los que vienen.

Quédate en el camino.
Ha llegado la noche para ti.
Tal vez de madrugada
nos veremos de nuevo.

Ay gran amor, pequeña amada!

Mais tu n'as pas alors pris l'exacte mesure
de celui qui avait choisi, gardé pour toi
le sang, le blé et l'eau
et tu l'as confondu
avec le frêle insecte tombé sur tes genoux.

Ah ! grand amour, petite aimée !

N'attends pas que je me retourne
pour te regarder au loin, reste
avec ce que je t'ai laissé, promène
ma photo trahie, moi
je vais poursuivre mon chemin qui est d'ouvrir
de larges voies contre l'ombre, de rendre
douce la terre, de partager
l'étoile pour ceux qui arrivent.

Reste en arrière.
Car la nuit est venue pour toi.
L'aube peut-être
nous permettra de nous revoir.

Ah ! grand amour, petite aimée !

LAS MUCHACHAS

*Muchachas que buscabais
el gran amor, el gran amor terrible,
qué ha pasado, muchachas?*

*Tal vez
el tiempo, el tiempo!*

*Porque ahora,
aquí está, ved cómo pasa
arrastrando las piedras celestes,
destrozando las flores y las hojas,
con un ruido de espumas azotadas
contra todas las piedras de tu mundo,
con un olor de esperma y de jazmines,
junto a la luna sangrienta!*

*Y ahora
tocas el agua con tus pies pequeños,
con tu pequeño corazón
y no sabes qué hacer!*

LES FILLES

Ô filles qui cherchiez
le grand amour, l'amour terrible,
ô filles, que s'est-il passé ?

Le temps peut-être,
le temps !

Car maintenant
il est ici et voyez comme il passe
en charriant les pierres célestes,
en saccageant les fleurs, les feuilles,
dans un bruit d'écumes battues
contre toutes les pierres de ton monde,
dans une odeur de sperme et de jasmins,
près de la lune ensanglantée !

Et maintenant
tu caresses l'eau, de tes petits pieds,
de ton petit cœur,
ne sachant que faire !

Son mejores
ciertos viajes nocturnos,
ciertos departamentos,
ciertos divertidísimos paseos,
ciertos bailes sin mayor consecuencia
que continuar el viaje!

Muérete de miedo o de frío,
o de duda,
que yo con mis grandes pasos
la encontraré,
dentro de ti
o lejos de ti,
y ella me encontrará,
la que no temblará frente al amor,
la que estará fundida
conmigo
en la vida o la muerte!

Plus agréables
sont certains voyages de nuit,
certains compartiments,
certaines très joyeuses promenades,
certaines danses sans autre importance
que de poursuivre le voyage !

Meurs de crainte, de froid
ou de doute
car moi avec mes pas géants
je la rencontrerai
en toi
ou loin de toi,
elle aussi me rencontrera,
celle qui ne tremblera pas devant l'amour,
celle qui se fondra
à moi
dans la vie ou dans la mort !

TÚ VENÍAS

No me has hecho sufrir
sino esperar.

Aquellas horas
enmarañadas, llenas
de serpientes,
cuando
se me caía el alma y me ahogaba,
tú venías andando,
tú venías desnuda y arañada,
tú llegabas sangrienta hasta mi lecho,
novia mía,
y entonces
toda la noche caminamos
durmiendo
y cuando despertamos
eras intacta y nueva,
como si el grave viento de los sueños
de nuevo hubiera dado
fuego a tu cabellera

TU VENAIS

Tu ne m'as pas fait souffrir
mais attendre.

En ces heures
broussailleuses, remplies
de serpents,
lorsque
mon cœur sombrait et que je me noyais,
tu t'avançais,
tu venais nue, toute griffée,
tu arrivais en sang jusqu'à mon lit,
novia mía,
et nous marchions
toute la nuit
en dormant :
à notre réveil
tu étais intacte et nouvelle,
comme si le vent grave de nos rêves
avait rallumé
tes cheveux,

y en trigo y plata hubiera sumergido
tu cuerpo hasta dejarlo deslumbrante.

Yo no sufrí, amor mío,
yo sólo te esperaba.
Tenías que cambiar de corazón
y de mirada
después de haber tocado la profunda
zona de mar que te entregó mi pecho.
Tenías que salir del agua
pura como una gota levantada
por una ola nocturna.

Novia mía, tuviste
que morir y nacer, yo te esperaba.
Yo no sufrí buscándote,
sabía que vendrías,
una nueva mujer con lo que adoro
de la que no adoraba,
con tus ojos, tus manos y tu boca
pero con otro corazón,
que amaneció a mi lado
como si siempre hubiera estado allí
para seguir conmigo para siempre.

comme s'il avait plongé ton corps dans le blé
et dans l'argent pour le rendre à nouveau éblouissant.

Je n'ai pas souffert, mon amour,
tout simplement, je t'attendais.
Il te fallait changer de cœur
et de regard
depuis que tu avais touché cette profonde
zone de mer que ma poitrine te livrait.
Il te fallait sortir de l'eau
pure comme une goutte soulevée
par une vague dans la nuit.

Novia mía, il t'a fallu
mourir et naître, je t'attendais.
Te cherchant, je n'ai pas souffert,
je savais, oui, que tu viendrais,
une nouvelle femme avec ce que j'adore
de celle qui n'adorait pas,
avec tes yeux, tes mains, avec ta bouche
mais avec un cœur différent,
celle qui s'éveilla un jour auprès de moi
comme si elle s'y était trouvée depuis toujours
pour à jamais poursuivre à nous deux le chemin.

Las vidas

EL MONTE Y EL RÍO

En mi patria hay un monte.
En mi patria hay un río.

Ven conmigo.

La noche al monte sube.
El hambre baja al río.

Ven conmigo.

Quiénes son los que sufren ?
No sé, pero son míos.

Ven conmigo.

No sé, pero me llaman
y me dicen : « Sufrimos. »

Ven conmigo.

Les vies

LA MONTAGNE ET LA RIVIÈRE

Mon pays a une montagne.
Mon pays a une rivière.

Viens avec moi.

La nuit monte vers la montagne.
La faim descend vers la rivière.

Viens avec moi.

Ces gens qui souffrent, qui sont-ils ?
Je ne sais, mais ce sont les miens.

Viens avec moi.

Je ne sais pas, mais ils m'appellent
et ils me disent : « Nous souffrons. »

Viens avec moi.

Y me dicen : « Tu pueblo,
tu pueblo desdichado,
entre el monte y el río,

con hambre y con dolores,
no quiere luchar solo,
te está esperando, amigo. »

Oh tú, la que yo amo,
pequeña, grano rojo
de trigo,

será dura la lucha,
la vida será dura,
pero vendrás conmigo.

Ils me disent aussi : « Ton peuple,
ton peuple endurant son malheur
de la montagne à la rivière,

avec sa faim, avec ses maux,
ami, ne veut pas lutter seul
et il t'attend. »

Ô mon amour,
ma petite, mon grain de blé,
mon rouge grain,

le combat sera sans merci
et sans merci sera la vie,
pourtant tu viendras avec moi.

LA POBREZA

Ay no quieres,
te asusta
la pobreza,

no quieres
ir con zapatos rotos al mercado
y volver con el viejo vestido.

Amor, no amamos,
como quieren los ricos,
la miseria. Nosotros
la extirparemos como diente maligno
que hasta ahora ha mordido el corazón del hombre.

Pero no quiero
que la temas.
Si llega por mi culpa a tu morada,
si la pobreza expulsa
tus zapatos dorados,
que no expulse tu risa que es el pan de mi vida.

LA PAUVRETÉ

Tu n'aimes pas
— elle t'effraie —
la pauvreté,

tu ne veux pas
aller avec des souliers usés au marché
ni en revenir dans ta vieille robe.

Amour, nous n'aimons pas,
comme les riches le voudraient,
la misère.
Et nous l'arracherons comme une dent mauvaise
qui a mordu jusqu'à présent le cœur de l'homme.

Pourtant, je ne veux pas
que tu la craignes.
Si elle arrive par ma faute à ta maison,
s'il advient que la pauvreté
en chasse tes souliers dorés,
qu'elle ne chasse pas ton rire, le pain de ma vie.

Si no puedes pagar el alquiler
sal al trabajo con paso orgulloso,
y piensa, amor, que yo te estoy mirando
y somos juntos la mayor riqueza
que jamás se reunió sobre la tierra.

Si tu n'as plus assez pour payer ton loyer
dirige avec fierté tes pas vers le travail
et pense, mon amour, que moi je te regarde
et que nous sommes en notre union la plus
   grande richesse
jamais rassemblée sur la terre.

LAS VIDAS

Ay qué incómoda a veces
te siento
conmigo, vencedor entre los hombres!

Porque no sabes
que conmigo vencieron
miles de rostros que no puedes ver,
miles de pies y pechos que marcharon conmigo,
que no soy,
que no existo,
que sólo soy la frente de los que van conmigo,
que soy más fuerte
porque llevo en mí
no mi pequeña vida
sino todas las vidas,
y ando seguro hacia adelante
porque tengo mil ojos,
golpeo con peso de piedra
porque tengo mil manos

LES VIES

Ah ! comme je te sens parfois
agacée
contre moi, vainqueur au milieu des hommes !

Et cela car tu ne sais pas
que ma victoire est celle aussi
de milliers de visages que tu ne peux voir,
de milliers de pieds et de cœurs qui m'escortèrent,
je ne suis rien
et je n'existe aucunement,
je ne suis que le front de ceux qui m'accom-
     pagnent,
si je suis fort
c'est parce que je porte en moi
au lieu de ma médiocre vie
toutes les vies,
un millier d'yeux
me permettent d'aller sans faille de l'avant,
mille mains
de frapper dur comme la pierre,

y mi voz se oye en las orillas
de todas las tierras
porque es la voz de todos
los que no hablaron,
de los que no cantaron
y cantan hoy con esta boca
que a ti te besa.

et l'on entend ma voix à l'orée de toutes les terres
parce qu'elle est la voix de tous
ceux qui n'ont pas parlé,
de tous ceux qui n'ont pas chanté
et qui chantent aujourd'hui
par cette bouche qui t'embrasse.

LA BANDERA

Levántate conmigo.

Nadie quisiera
como yo quedarse
sobre la almohada en que tus párpados
quieren cerrar el mundo para mí.
Allí también quisiera
dejar dormir mi sangre
rodeando tu dulzura.

Pero levántate,
tú, levántate,
pero conmigo levántate
y salgamos reunidos
a luchar cuerpo a cuerpo
contra las telarañas del malvado,
contra el sistema que reparte el hambre,
contra la organización de la miseria.

LE DRAPEAU

Lève-toi avec moi.

Nul n'aimerait
plus que moi demeurer
sur l'oreiller où tes paupières
veulent pour moi murer le monde.
Je voudrais là
laisser aussi dormir mon sang
enlacé avec ta douceur.

Mais lève-toi,
oui, lève-toi,
avec moi lève-toi,
partons ensemble
nous battre corps à corps
contre les toiles de cette vile araignée,
contre un système expert à répartir la faim,
contre la planification de la misère.

Vamos,
y tú, mi estrella, junto a mí,
recién nacida de mi propia arcilla,
ya habrás hallado el manantial que ocultas
y en medio del fuego estarás
junto a mí,
con tus ojos bravíos,
alzando mi bandera.

Partons,
et toi, mon astre, auprès de moi,
née depuis peu de mon argile,
ayant trouvé déjà la source que tu caches,
on te verra au cœur du feu,
auprès de moi,
les yeux brillants,
brandir farouche mon drapeau.

EL AMOR DEL SOLDADO

En plena guerra te llevó la vida
a ser el amor del soldado.

Con tu pobre vestido de seda,
tus uñas de piedra falsa,
te tocó caminar por el fuego.

Ven acá, vagabunda,
ven a beber sobre mi pecho
rojo rocío.

No querías saber dónde andabas,
eras la compañera de baile,
no tenías partido ni patria.

Y ahora a mi lado caminando
ves que conmigo va la vida
y que detrás está la muerte.

L'AMOUR DU SOLDAT

La vie, en pleine guerre, t'a conduite
à être l'amour du soldat.

Dans ta pauvre robe de soie,
avec tes ongles, fausses pierres,
il te faut marcher en plein feu.

Viens près de moi, ma vagabonde,
viens ici boire sur mon cœur
la rosée rouge.

Tu ne voulais de chemin fixe,
tu étais l'amie pour le bal,
tu n'avais parti ni patrie.

Et maintenant, à mon côté,
tu vois que la vie m'accompagne
et que la mort reste en arrière.

Ya no puedes volver a bailar
con tu traje de seda en la sala.

Te vas a romper los zapatos,
pero vas a crecer en la marcha.

Tienes que andar sobre las espinas
dejando gotitas de sangre.

Bésame de nuevo, querida.

Limpia ese fusil, camarada.

Tu ne peux plus aller au bal
danser dans ta robe de soie.

Tu vas déchirer tes souliers,
mais tu grandiras dans la marche.

Tes pieds fouleront les épines
en laissant des perles de sang.

Encore un baiser, ma chérie.

Nettoie ce fusil, camarade.

NO SÓLO EL FUEGO

Ay sí, recuerdo,
ay tus ojos cerrados
como llenos por dentro de luz negra,
todo tu cuerpo como una mano abierta,
como un racimo blanco de la luna,
y el éxtasis,
cuando nos mata un rayo,
cuando un puñal nos hiere en las raíces
y nos rompe una luz la cabellera,
y cuando
vamos de nuevo
volviendo a la vida,
como si del océano saliéramos,
como si del naufragio
volviéramos heridos
entre las piedras y las algas rojas.

Pero
hay otros recuerdos,
no sólo flores del incendio,

NON SEULEMENT LE FEU

Ah ! oui, je revois,
ah ! tes yeux fermés
comme au-dedans remplis de clarté noire,
ton corps entier comme une main ouverte,
comme une blanche grappe de la lune,
et notre extase,
quand un éclair nous tue,
quand un poignard vient blesser nos racines
et une fulgurance ouvrir nos chevelures,
et quand
nous revenons
peu à peu à la vie,
comme si nous sortions de l'océan,
comme si du naufrage
nous revenions blessés
parmi les algues rouges et les pierres.

Pourtant
il y a d'autres souvenirs
qui ne sont plus seulement fleurs de l'incendie

sino pequeños brotes
que aparecen de pronto
cuando voy en los trenes
o en las calles.

Te veo
lavando mis pañuelos,
colgando en la ventana
mis calcetines rotos,
tu figura en que todo,
todo el placer como una llamarada
cayó sin destruirte,
de nuevo,
mujercita
de cada día,
de nuevo ser humano,
humildemente humano,
soberbiamente pobre,
como tienes que ser para que seas
no la rápida rosa
que la ceniza del amor deshace,
sino toda la vida,
toda la vida con jabón y agujas,
con el aroma que amo
de la cocina que tal vez no tendremos
y en que tu mano entre las papas fritas
y tu boca cantando en invierno
mientras llega el asado
serían para mí la permanencia
de la felicidad sobre la tierra.

Ay vida mía,
no sólo el fuego entre nosotros arde,

mais fins bourgeons
qui apparaissent tout à coup
quand je voyage dans les trains
ou marche dans les rues.

Je te vois :
tu laves mes mouchoirs
ou bien tu pends à la fenêtre
mes chaussettes pleines de trous,
je vois se profiler ton corps où tout,
tout le plaisir en sa flambée
s'est abattu sans te détruire,
redevenue
petite femme
au quotidien,
redevenue un être humain,
humblement humain,
très fièrement pauvre,
ce qu'il faut que tu sois pour ne pas être
rose rapide
vite détruite par la cendre de l'amour,
mais toute la vie,
toute la vie avec des aiguilles et du savon,
avec cette odeur de cuisine
que j'aime et qui parfois nous manquera peut-être
et où tes mains parmi les frites
et où ta bouche qui chante en hiver
tandis qu'arrive le rôti sur notre table
seraient pour moi le bonheur stable
sur cette terre.

Ah ! ma vie,
non seulement le feu nous brûle et nous unit,

sino toda la vida,
la simple historia,
el simple amor
de una mujer y un hombre
parecidos a todos.

mais toute la vie,
mais la simple histoire,
mais le simple amour
d'une femme et d'un homme
vraiment pareils à tous les autres.

LA MUERTA

Si de pronto no existes,
si de pronto no vives,
yo seguiré viviendo.

No me atrevo,
no me atrevo a escribirlo,
si te mueres.

Yo seguiré viviendo.

Porque donde no tiene voz un hombre
allí, mi voz.

Donde los negros sean apaleados,
yo no puedo estar muerto.
Cuando entren en la cárcel mis hermanos
entraré yo con ellos.

Cuando la victoria,
no mi victoria,

LA MORTE

Si brusquement tu cesses d'exister,
si brusquement tu ne vis plus,
moi je vivrai.

Je n'ose pas,
je n'ose pas écrire :
si tu meurs.

Moi je vivrai.

Car là où on ne laisse pas parler un homme
ma voix s'élève.

Là où le bâton s'abat sur les Noirs,
je ne peux pas, moi, être mort.
Si l'on met en prison mes frères
il faudra qu'on m'y mette aussi.

Quand la victoire,
non ma victoire,

sino la gran victoria
llegue,
aunque esté mudo debo hablar :
yo la veré llegar aunque esté ciego.

No, perdóname.
Si tú no vives,
si tú, querida, amor mío,
si tú
te has muerto,
todas las hojas caerán en mi pecho,
lloverá sobre mi alma noche y día,
la nieve quemará mi corazón,
andaré con frío y fuego y muerte y nieve,
mis pies querrán marchar hacia donde tú duermes,
pero
seguiré vivo,
porque tú me quisiste sobre todas las cosas
indomable,
y, amor, porque tú sabes que soy no sólo un hombre
sino todos los hombres.

mais la grande victoire
arrivera,
même muet je devrai parler :
je la verrai, serais-je aveugle, s'avancer.

Mais non, pardonne-moi.
Si toi tu ne vis plus,
si toi, ma chérie, mon amour,
si toi
tu meurs,
toutes les feuilles tomberont sur ma poitrine,
il pleuvra sur mon âme nuit et jour,
la neige brûlera mon cœur,
j'avancerai avec du froid, du feu, la mort, la neige,
mes pieds voudront marcher vers le lieu où tu
    dors,
pourtant
je resterai vivant,
puisque tu m'auras aimé sur toutes les choses
indomptable
et que tu sais bien, mon amour, que je ne suis pas
    seulement un homme
mais tous les hommes.

PEQUEÑA AMÉRICA

Cuando miro la forma
de América en el mapa,
amor, a ti te veo :
las alturas del cobre en tu cabeza,
tus pechos, trigo y nieve,
tu cintura delgada,
veloces ríos que palpitan, dulces
colinas y praderas
y en el frío del sur tus pies terminan
su geografía de oro duplicado.

Amor, cuando te toco
no sólo han recorrido
mis manos tu delicia,
sino ramas y tierras, frutas y agua,
la primavera que amo,
la luna del desierto, el pecho
de la paloma salvaje,
la suavidad de las piedras gastadas
por las aguas del mar o de los ríos

PETITE AMÉRIQUE

Lorsque je regarde la forme
de l'Amérique sur la carte,
mon amour, c'est toi que je vois :
ton visage y est monts du cuivre,
tes deux seins : la neige et le blé,
ta mince taille :
les fleuves rapides qui vibrent, les collines
et prairies chargées de douceur,
tandis que tes pieds dans le froid du Sud
achèvent leur géographie d'or géminé.

Mon amour, lorsque je te touche,
mes mains parcourant tes délices
trouvent aussi
branches et terres, fruits et eau,
le printemps à mon cœur si cher,
la lune du désert, la gorge
de la palombe,
le poli des pierres usées
par la mer ou par les rivières

y la espesura roja
del matorral en donde
la sed y el hambre acechan.
Y así mi patria extensa me recibe,
pequeña América, en tu cuerpo.

Aún más, cuando te veo recostada
veo en tu piel, en tu color de avena,
la nacionalidad de mi cariño.
Porque desde tus hombros
el cortador de caña
de Cuba abrasadora
me mira, lleno de sudor oscuro,
y desde tu garganta
pescadores que tiemblan
en las húmedas casas de la orilla
me cantan su secreto.
Y así a lo largo de tu cuerpo,
pequeña América adorada,
las tierras y los pueblos
interrumpen mis besos
y tu belleza entonces
no sólo enciende el fuego
que arde sin consumirse entre nosotros,
sino que con tu amor me está llamando
y a través de tu vida
me está dando la vida que me falta
y al sabor de tu amor se agrega el barro,
el beso de la tierra que me aguarda.

et le rouge enchevêtrement
des buissons profonds dans lesquels
soif et faim nichent à l'affût.
Tout mon long pays me reçoit
dans ton corps, petite Amérique.

Viens-tu à t'étendre et je vois
dans ta peau, ta couleur d'avoine,
la nationalité de ma tendresse.
De tes épaules, le Cubain
coupeur de canne
sous le feu brûlant de son île
me regarde en sa noire sueur,
et de ta gorge,
des pêcheurs qui frissonnent
dans les maisons humides du rivage
me chantent leur secret.
Et ainsi au long de ton corps,
petite Amérique adorée,
terres et peuples
suspendent mes baisers
et en cet instant ta beauté
en embrasant
le feu qui brûle entre nous sans se consumer
m'appelle de tout ton amour,
par le biais de ta vie
elle me donne la vie qui me manque
et au goût de ton amour s'ajoute la boue,
le baiser de la terre qui m'attend.

Oda y germinaciones

I

El sabor de tu boca y el color de tu piel,
piel, boca, fruta mía de estos días veloces,
dímelo, fueron sin cesar a tu lado
por años y por viajes y por lunas y soles
y tierra y llanto y lluvia y alegría
o sólo ahora, sólo
salen de tus raíces
como a la tierra seca el agua trae
germinaciones que no conocía
o a los labios del cántaro olvidado
sube en el agua el gusto de la tierra ?

No sé, no me lo digas, no lo sabes.
Nadie sabe estas cosas.
Pero acercando todos mis sentidos
a la luz de tu piel, desapareces,
te fundes como el ácido
aroma de una fruta
y el calor de un camino,
el olor del maíz que se desgrana,

Ode et germinations

I

Le goût de ta bouche et la couleur de ta peau,
peau, bouche, mon fruit de ces jours rapides,
dis-moi, ont-ils été sans cesse à ton côté
à travers années et voyages, lunes et soleils
et terre et pleurs et pluie et joie
ou seulement aujourd'hui, seulement
sortent-ils donc de tes racines
de même qu'à la terre aride l'eau apporte
des germinations inconnues
ou qu'aux lèvres de la cruche oubliée
arrive avec l'eau le goût de la terre ?

Je ne sais pas, ne m'en dis rien, tu ne sais pas.
Nul ne connaît ces choses-là.
Mais quand j'approche tous mes sens
de la lumière de ta peau, tu disparais,
tu fonds comme l'acide
parfum d'un fruit,
comme la chaleur d'un chemin,
l'odeur du maïs qui s'égrène,

la madreselva de la tarde pura,
los nombres de la tierra polvorienta,
el perfume infinito de la patria :
magnolia y matorral, sangre y harina,
galope de caballos,
la luna polvorienta de la aldea,
el pan recién nacido :
ay todo de tu piel vuelve a mi boca,
vuelve a mi corazón, vuelve a mi cuerpo,
y vuelvo a ser contigo
la tierra que tú eres :
eres en mí profunda primavera :
vuelvo a saber en ti cómo germino.

le chèvrefeuille du soir pur,
les noms de la terre poudreuse,
l'arôme sans fin du pays :
magnolia et buisson, sang et farine
et galop de chevaux,
comme la lune poussiéreuse du village,
le pain fraîchement né :
ah ! tout de ta peau revient à ma bouche,
revient à mon cœur, revient à mon corps
et je redeviens avec toi
la terre que tu es :
tu es en moi printemps profond :
et à nouveau en toi je sais comment je germe.

II

Años tuyos que yo debí sentir
crecer cerca de mí como racimos
hasta que hubieras visto cómo el sol y la tierra
a mis manos de piedra te hubieran destinado,
hasta que uva con uva hubieras hecho
cantar en mis venas el vino.
El viento o el caballo
desviándose pudieron
hacer que yo pasara por tu infancia,
el mismo cielo has visto cada día,
el mismo barro del invierno oscuro,
la enramada sin fin de los ciruelos
y su dulzura de color morado.
Sólo algunos kilómetros de noche,
las distancias mojadas
de la aurora campestre,
un puñado de tierra nos separó, los muros
transparentes
que no cruzamos, para que la vida,
después, pusiera todos

II

Ces années, tes années, que j'aurais dû sentir
croître comme des grappes près de moi
pour que tu voies enfin comment soleil et terre
t'auraient destinée à mes mains de pierre,
toi qui, grain après grain, eus fait chanter
le raisin en vin dans mes veines.
Le vent ou le cheval
en s'égarant auraient pu me faire passer
par ton enfance,
tu as vu chaque jour le même ciel,
la même boue du sombre hiver,
les branches des pruniers, berceau sans fin,
avec leur violette douceur.
Un rien, quelques kilomètres de nuit,
les distances mouillées
de l'aurore champêtre,
une poignée de terre nous ont séparés, les murs
transparents
que nous n'avons pas traversés, pour que la vie
après cela mette entre nous

los mares y la tierra
entre nosotros, y nos acercáramos
a pesar del espacio,
paso a paso buscándonos,
de un océano a otro,
hasta que vi que el cielo se incendiaba
y volaba en la luz tu cabellera
y llegaste a mis besos con el fuego
de un desencadenado meteoro
y al fundirte en mi sangre, la dulzura
del ciruelo salvaje
de nuestra infancia recibí en mi boca,
y te apreté a mi pecho como
si la tierra y la vida recobrara.

toutes les mers
et la terre, et pour que, malgré l'espace,
nous nous rapprochions, nous cherchant
pas à pas,
d'un océan à l'autre,
jusqu'à l'instant où j'ai vu le ciel s'embraser
tandis que tes cheveux volaient dans la lumière,
tu arrivais à mes baisers avec le feu
d'un météore déchaîné,
tu t'es fondue avec mon sang, ma bouche
a reçu, du prunier sauvage
de notre enfance, la douceur,
et je t'ai serrée sur mon cœur
comme si terre et vie étaient à nouveau miennes.

III

Mi muchacha salvaje, hemos tenido
que recobrar el tiempo
y marchar hacia atrás, en la distancia
de nuestras vidas, beso a beso,
recogiendo de un sitio lo que dimos
sin alegría, descubriendo en otro
el camino secreto
que iba acercando tus pies a los míos,
y así bajo mi boca
vuelves a ver la planta insatisfecha
de tu vida alargando sus raíces
hacia mi corazón que te esperaba.
Y una a una las noches
entre nuestras ciudades separadas
se agregan a la noche que nos une.
La luz de cada día,
su llama o su reposo
nos entregan, sacándolos del tiempo,
y así se desentierra
en la sombra o la luz nuestro tesoro,

III

Nous avons dû, ma sauvageonne,
nous ressaisir du temps perdu
et revenir sur nos pas pour, de baiser en baiser,
abolir la distance de nos vies,
récupérant ici ce que sans joie
nous avions donné, découvrant
là le chemin secret
qui rapprochait tes pas des miens,
et ainsi, sous ma bouche,
voici que tu revois la plante insatisfaite
de ta vie qui allonge ses racines
vers mon cœur et vers son attente.
Une à une, les nuits,
entre nos villes séparées,
s'ajoutent à la nuit qui nous unit.
Le jour de chaque jour,
sa flamme ou son repos
soustraits au temps, elles nous livrent,
et ainsi se trouve exhumé
dans l'ombre ou la clarté notre trésor,

y así besan la vida nuestros besos :
todo el amor en nuestro amor se encierra :
toda la sed termina en nuestro abrazo.
Aquí estamos al fin frente a frente,
nos hemos encontrado,
no hemos perdido nada.
Nos hemos recorrido labio a labio,
hemos cambiado mil veces
entre nosotros la muerte y la vida,
todo lo que traíamos
como muertas medallas
lo echamos al fondo del mar,
todo lo que aprendimos
no nos sirvió de nada :
comenzamos de nuevo,
terminamos de nuevo
muerte y vida.
Y aquí sobrevivimos,
puros, con la pureza que nosotros creamos,
más anchos que la tierra que no pudo extraviarnos,
eternos como el fuego que arderá
cuanto dure la vida.

et ainsi nos baisers embrassent-ils la vie :
tout l'amour se tient enclos dans le nôtre :
toute la soif s'achève en notre enlacement.
Nous voici enfin face à face,
nous nous sommes trouvés,
rien n'a été perdu.
Et lèvre à lèvre nous nous sommes parcourus,
mille fois nous avons troqué
entre nous la mort et la vie,
tout ce que nous portions en nous
comme autant de médailles mortes
nous l'avons jeté à la mer,
tout ce que nous avions appris
nous a été bien inutile :
nous avons commencé,
nous avons terminé
à nouveau mort et vie.
Nous sommes là, nous survivons,
purs d'une pureté que nous avons créée,
plus vastes que la terre qui n'a pu nous fourvoyer,
et éternels comme le feu qui brûlera
tant que la vie ne cessera.

IV

Cuando he llegado aquí se detiene mi mano.
Alguien pregunta : — Dime por qué, como las olas
en una misma costa, tus palabras
sin cesar van y vuelven a su cuerpo ?
Ella es sólo la forma que tú amas ?
Y respondo : mis manos no se sacian
en ella, mis besos no descansan,
por qué retiraría las palabras
que repiten la huella de su contacto amado,
que se cierran guardando
inútilmente como en la red el agua,
la superficie y la temperatura
de la ola más pura de la vida ?
Y, amor, tu cuerpo no sólo es la rosa
que en la sombra o la luna se levanta,
o sorprendo o persigo.
No sólo es movimiento o quemadura,
acto de sangre o pétalo del fuego,
sino que para mí tú me has traído

IV

J'en suis arrivé là lorsque ma main s'arrête.
On m'interroge : — Explique-moi pourquoi tes
    mots
comme les vagues sur le sable d'un rivage
ne cessent sur son corps d'aller et de venir ?
Est-elle seulement la forme que tu aimes ?
Et je réponds : — Mes mains jamais ne sont repues
s'il s'agit d'elle et mes baisers n'ont de repos,
pourquoi dès lors interrompre les mots
qui répètent la trace du contact aimé,
qui se referment pour garder
en vain, comme l'eau dans les mailles du filet,
la surface, aussi le degré
de la plus pure vague de la vie ?
Amour, ton corps n'est pas seulement cette rose
que je vois se dresser dans l'ombre ou sous la lune
ou que je suspends ou poursuis.
Il n'est pas que cela : mouvement ou brûlure,
acte de sang ou pétale du feu,
mais ce qu'avec toi tu m'as apporté :

mi territorio, el barro de mi infancia,
las olas de la avena,
la piel redonda de la fruta oscura
que arranqué de la selva,
aroma de maderas y manzanas,
color de agua escondida donde caen
frutos secretos y profundas hojas.
Oh amor, tu cuerpo sube
como una línea pura de vasija
desde la tierra que me reconoce
y cuando te encontraron mis sentidos
tú palpitaste como si cayeran
dentro de ti la lluvia y las semillas !
Ay que me digan cómo
pudiera yo abolirte
y dejar que mis manos sin tu forma
arrancaran el fuego a mis palabras !
Suave mía, reposa
tu cuerpo en estas líneas que te deben
más de lo que me das en tu contacto,
vive en estas palabras y repite
en ellas la dulzura y el incendio,
estremécete en medio de sus sílabas,
duerme en mi nombre como te has dormido
sobre mi corazón, y así mañana
el hueco de tu forma
guardarán mis palabras
y el que las oiga un día recibirá una ráfaga
de trigo y amapolas :
estará todavía respirando
el cuerpo del amor sobre la tierra !

mon territoire, la boue de mon enfance,
la houle de l'avoine,
la ronde peau de ce fruit sombre
qu'à la forêt j'ai arraché,
un parfum de bois et de pommes,
une couleur d'eau bien cachée où viennent choir
fruits secrets et feuilles profondes.
Ô mon amour, ton corps s'élève
avec la ligne pure d'une argile de potier
de cette terre qui me reconnaît
et sous mes sens, à l'heure où je te découvrais,
tu as palpité comme si
tombaient en toi la pluie et les semences !
Alors, dites-moi, oui, comment
pourrais-je abolir ta présence
et laisser mes mains, sans ta forme,
arracher le feu à mes mots !
Ma douce, laisse reposer
en ces lignes ton corps, elles te doivent plus
que ce que je reçois de toi par ton contact,
vis dans ces mots, répète en eux
la douceur et l'embrasement,
frémis quand t'environnent leurs syllabes,
dors dans mon nom comme tu as dormi
sur mon cœur, et ainsi demain
mes mots garderont
le creux de ta forme
et qui un jour les entendra recevra comme une
    rafale
de blé et de coquelicots :
ce sera, respirant toujours,
le corps de l'amour sur la terre !

V

Hilo de trigo y agua,
de cristal o de fuego,
la palabra y la noche,
el trabajo y la ira,
la sombra y la ternura,
todo lo has ido poco a poco cosiendo
a mis bolsillos rotos,
y no sólo en la zona trepidante
en que amor y martirio son gemelos
como dos campanas de incendio,
me esperaste, amor mío,
sino en las más pequeñas
obligaciones dulces.
El aceite dorado de Italia hizo tu nimbo,
santa de la cocina y la costura,
y tu coquetería pequeñuela,
que tanto se tardaba en el espejo,
con tus manos que tienen
pétalos que el jazmín envidiaría
lavó los utensilios y mi ropa,

Ton fil de blé et d'eau,
de cristal ou de feu,
la parole et la nuit,
le travail, la colère
et l'ombre et la tendresse,
ton fil les a cousus
peu à peu à mes poches déchirées,
et non seulement dans la zone trépidante
jumelant amour et martyre
comme deux tocsins d'incendie,
tu m'as attendu, mon amour,
mais aussi dans les humbles tâches,
les doux devoirs.
L'huile dorée de l'Italie a nimbé ton visage,
sainte de la cuisine et de l'aiguille,
et ton brin de coquetterie
qui s'attardait devant la glace,
avec tes mains et leurs pétales
à rendre jaloux le jasmin
a nettoyé les plaies, lavé

desinfectó las llagas.
Amor mío, a mi vida
llegaste preparada
como amapola y como guerrillera :
de seda el esplendor que yo recorro
con el hambre y la sed
que sólo para ti traje a este mundo,
y detrás de la seda
la muchacha de hierro
que luchará a mi lado.
Amor, amor, aquí nos encontramos.
Seda y metal, acércate a mi boca.

nos couverts et mon linge.
Mon amour, à ma vie
tu es arrivée, toute prête,
femme coquelicot, femme guérillero :
car si de soie est la splendeur que je parcours
avec ma soif, avec ma faim
apportées seulement pour toi sur notre terre,
derrière cette soie
il y a la fille d'acier
qui va combattre à mon côté.
Amour, amour, c'est là que nous nous rejoignons.
Soie et métal, approche-toi, voici ma bouche.

VI

Y porque Amor combate
no sólo en su quemante agricultura,
sino en la boca de hombres y mujeres,
terminaré saliéndole al camino
a los que entre mi pecho y tu fragancia
quieran interponer su planta oscura.
De mí nada más malo
te dirán, amor mío,
de lo que yo te dije.
Yo viví en las praderas
antes de conocerte
y no esperé el amor sino que estuve
acechando y salté sobre la rosa.
Qué más pueden decirte?
No soy bueno ni malo sino un hombre,
y agregarán entonces el peligro
de mi vida, que conoces
y que con tu pasión has compartido.
Y bien, este peligro
es peligro de amor, de amor completo

VI

Et parce que l'Amour combat
non seulement dans sa brûlante agriculture
mais dans la bouche d'hommes et de femmes,
je finirai par me retrouver sur la route
de ceux qui entre ma poitrine et ton parfum
voudront glisser leur plante ténébreuse.
Ils ne te diront, mon amour,
à mon sujet de pires choses
que ce que je t'ai déjà dit.
Je vivais parmi les prairies
quand nous nous sommes rencontrés
et je n'attendais pas l'amour mais je guettais
la rose et je fondis sur elle.
Que peuvent-ils dire de plus?
Je ne suis ni bon ni méchant, je suis un homme
et ils ajouteront alors à ma vie le danger,
tu le connais,
avec ta passion tu l'as partagé.
Bon, ce danger
est danger d'amour, et d'amour total

hacia toda la vida,
hacia todas las vidas,
y si este amor nos trae
la muerte o las prisiones,
yo estoy seguro que tus grandes ojos,
como cuando los beso,
se cerrarán entonces con orgullo,
con doble orgullo, amor,
con tu orgullo y el mío.
Pero hacia mis orejas vendrán antes
a socavar la torre
del amor dulce y duro que nos liga,
y me dirán : — «Aquella
que tú amas,
no es mujer para ti,
por qué la quieres ? Creo
que podrías hallar una más bella,
más seria, más profunda,
más otra, tú me entiendes, mírala qué ligera,
y qué cabeza tiene,
y mírala cómo se viste
y etcétera y etcétera. »
Y yo en estas líneas digo :
así te quiero, amor,
amor, así te amo,
así como te vistes
y como se levanta
tu cabellera y como
tu boca se sonríe,
ligera como el agua
del manantial sobre las piedras puras,
así te quiero, amada.

pour toute la vie,
pour toutes les vies,
et si cet amour nous entraîne
à la mort ou dans les prisons,
tes grands yeux, je le sais,
comme ils le font sous mes baisers,
se fermeront avec orgueil,
ô mon amour, un double orgueil,
avec ton orgueil et le mien.
Pourtant, avant cela, vers mon oreille
ils voudront essayer de miner cette tour
du tendre et dur amour qui nous unit
et ils diront : « Cette fille
que tu chéris
n'est pas une femme pour toi,
pourquoi l'aimes-tu ? Il me semble
que tu pourrais en trouver une plus jolie,
plus sérieuse, plus réfléchie,
ah ! vraiment autre, comprends-nous, as-tu vu
    comme elle est frivole,
et sa tête, regarde,
et sa façon de s'habiller,
et patati et patata… »
Mais moi dans ces lignes je dis :
C'est ainsi que je t'aime, amour,
amour, c'est ainsi que je t'aime,
telle que tu t'habilles, telle
que tu relèves tes cheveux,
avec cette manière aussi
que prend ta bouche pour sourire :
légère comme une eau de source
fluant parmi ses pierres pures,
c'est ainsi que je t'aime, aimée.

Al pan yo no le pido que me enseñe
sino que no me falte
durante cada día de la vida.
Yo no sé nada de la luz, de dónde
viene ni dónde va,
yo sólo quiero que la luz alumbre,
yo no pido a la noche
explicaciones,
yo la espero y me envuelve,
y así tú, pan y luz
y sombra eres.
Has venido a mi vida
con lo que tú traías,
hecha
de luz y pan y sombra te esperaba,
y así te necesito,
así te amo,
y a cuantos quieran escuchar mañana
lo que no les diré, que aquí lo lean,
y retrocedan hoy porque es temprano
para estos argumentos.
Mañana sólo les daremos
una hoja del árbol de nuestro amor, una hoja
que caerá sobre la tierra
como si la hubieran hecho nuestros labios,
como un beso que cae
desde nuestras alturas invencibles
para mostrar el fuego y la ternura
de un amor verdadero.

Je ne demande pas au pain une leçon
mais qu'il ne manque
à aucune de mes journées.
J'ignore tout de la lumière, je ne sais
d'où elle vient, où elle va,
je veux seulement qu'elle éclaire ;
je ne presse jamais la nuit
de s'expliquer,
je l'attends, elle m'environne.
Et c'est ce que tu es, toi : pain,
lumière et ombre.
Tu es arrivée à ma vie
avec ce que tu apportais,
toute
de lumière, de pain, d'ombre, je t'attendais,
ce n'est pas autrement que j'ai besoin de toi
et c'est bien ainsi que je t'aime.
Que ceux qui voudront écouter demain
ce que je ne leur dirai pas, lisent ceci
et fassent marche arrière : il est trop tôt
pour discuter.
Demain seulement nous leur donnerons
une feuille de l'arbre de notre amour, une feuille
qui tombera sur terre
comme née de nos lèvres,
comme un baiser qui tombe
de nos invincibles hauteurs
afin qu'ils puissent voir le feu et la tendresse
d'un amour véritable.

Epitalamio

Recuerdas cuando
en invierno
llegamos a la isla ?
El mar hacia nosotros levantaba
una copa de frío.
En las paredes las enredaderas
susurraban dejando
caer hojas oscuras
a nuestro paso.
Tú eras también una pequeña hoja
que temblaba en mi pecho.
El viento de la vida allí te puso.
En un principio no te vi : no supe
que ibas andando conmigo,
hasta que tus raíces
horadaron mi pecho,
se unieron a los hilos de mi sangre,
hablaron por mi boca,
florecieron conmigo.
Así fue tu presencia inadvertida,

Épithalame

Te souviens-tu
du jour d'hiver
où nous arrivâmes dans l'île ?
La mer levait vers nous
une coupe de froid.
Le lierre, sur les murs,
susurrait en laissant
tomber les feuilles sombres
sur nos pas.
Tu étais toi aussi une petite feuille
qui tremblait sur mon cœur.
Le vent de la vie t'y avait posée.
Au début je ne te vis pas : je ne sus pas
que tu m'accompagnais,
mais vint l'instant où tes racines
creusèrent ma poitrine,
s'unirent aux rets de mon sang,
parlèrent par ma bouche,
fleurirent avec moi.
Et ta présence insoupçonnée

hoja o rama invisible
y se pobló de pronto
mi corazón de frutos y sonidos.
Habitaste la casa
que te esperaba oscura
y encendiste las lámparas entonces.
Recuerdas, amor mío,
nuestros primeros pasos en la isla ?
Las piedras grises nos reconocieron,
las rachas de la lluvia,
los gritos del viento en la sombra.
Pero fue el fuego
nuestro único amigo,
junto a él apretamos
el dulce amor de invierno
a cuatro brazos.
El fuego vio crecer nuestro beso desnudo
hasta tocar estrellas escondidas,
y vio nacer y morir el dolor
como una espada rota
contra el amor invencible.
Recuerdas,
oh dormida en mi sombra,
cómo de ti crecía
el sueño,
de tu pecho desnudo
abierto con sus cúpulas gemelas
hacia el mar, hacia el viento de la isla
y cómo yo en tu sueño navegaba
libre, en el mar y en el viento,
atado y sumergido sin embargo
al volumen azul de tu dulzura ?
Oh dulce, dulce mía,

se fit feuille ou branche invisibles
et mon cœur brusquement
se remplit de fruits et de sons.
Tu habitas la maison, elle était
noire mais t'attendait,
alors tu allumas les lampes.
Te souviens-tu, ô mon amour,
de nos premiers pas dans cette île ?
Les pierres grises nous y reconnurent
et les rafales de la pluie
et dans l'ombre les cris du vent.
Pourtant le feu
fut notre seul ami :
c'est près de lui
qu'à quatre bras nous étreignîmes
la douceur de l'amour d'hiver.
Le feu vit grandir notre baiser nu
qui finit par toucher des étoiles cachées,
il vit la douleur naître et il la vit mourir
comme une épée brisant son fer
contre l'amour jamais vaincu.
Te souviens-tu,
dormeuse étendue à mon ombre,
comment le sommeil grandissait
de ta personne,
de la nudité de tes seins,
coupoles jumelles ouvertes
vers la mer, vers le vent de l'île,
et comment je naviguais, moi, dans ton sommeil,
libre, sur mer et dans le vent,
et pourtant lié au bleu volume
de ta douceur, et immergé ?
Douce, ô ma douce,

cambió la primavera
los muros de la isla.
Apareció una flor como una gota
de sangre anaranjada,
y luego descargaron los colores
todo su peso puro.
El mar reconquistó su transparencia,
la noche en el cielo
destacó sus racimos
y ya todas las cosas susurraron
nuestro nombre de amor, piedra por piedra
dijeron nuestro nombre y nuestro beso.
La isla de piedra y musgo
resonó en el secreto de sus grutas
como en tu boca el canto,
y la flor que nacía
entre los intersticios de la piedra
con su secreta sílaba
dijo al pasar tu nombre
de planta abrasadora,
y la escarpada roca levantada
como el muro del mundo
reconoció mi canto, bienamada,
y todas las cosas dijeron
tu amor, mi amor, amada,
porque la tierra, el tiempo, el mar, la isla,
la vida, la marea,
el germen que entreabre
sus labios en la tierra,
la flor devoradora,
el movimiento de la primavera,
todo nos reconoce.
Nuestro amor ha nacido

le printemps métamorphosa
les murs de l'île.
Une fleur apparut comme une goutte
de sang orange,
les couleurs bientôt déchargèrent
leur plein fardeau de pureté.
La mer, elle, avait reconquis sa transparence,
la nuit grava
ses grappes dans le ciel
et tout se mit à susurrer
notre nom d'amour, pierre à pierre
tout dit nos noms et nos baisers.
L'île de pierre et mousse résonna
dans le mystère de ses grottes
comme dans ta bouche le chant,
et la fleur qui naissait
dans les crevasses de la pierre
avec sa syllabe secrète
dit à ton passage ton nom
de plante ardente,
et le roc escarpé qui se dressait
comme la muraille du monde
reconnut mon chant, bien-aimée,
et chaque chose proclama
ton amour, mon amour, aimée,
car la terre, le temps, la mer,
l'île, la vie, la houle,
le germe qui entrouvre
ses lèvres dans la terre,
la fleur dévoratrice,
la marche du printemps
nous reconnaissent.
C'est hors les murs

fuera de las paredes,
en el viento,
en la noche,
en la tierra,
y por eso la arcilla y la corola,
el barro y las raíces
saben cómo te llamas,
y saben que mi boca
se juntó con la tuya
porque en la tierra nos sembraron juntos
sin que sólo nosotros lo supiéramos
y que crecemos juntos
y florecemos juntos
y por eso
cuando pasamos,
tu nombre está en los pétalos
de la rosa que crece en la piedra,
mi nombre está en las grutas.
Ellos todo lo saben,
no tenemos secretos,
hemos crecido juntos
pero no lo sabíamos.
El mar conoce nuestro amor, las piedras
de la altura rocosa
saben que nuestros besos florecieron
con pureza infinita,
como en sus intersticios una boca
escarlata amanece :
así conocen nuestro amor y el beso
que reúne tu boca y la mía
en una flor eterna.
Amor mío,
la primavera dulce,

que notre amour a pris naissance,
dans le vent,
dans la nuit,
dans la terre,
voilà pourquoi l'argile et la corolle,
la boue et les racines
savent ton nom
et que ma bouche
et la tienne se sont unies
car on nous a semés ensemble dans la terre
sans même nous en avertir,
ils savent que nous grandissons ensemble
et fleurissons ensemble,
voilà pourquoi
quand nous passons
on voit ton nom sur les pétales
de la rose qui pousse dans la pierre
et le mien dans les grottes.
Ils savent tout,
non, nous n'avons pas de secret,
simplement nous ne savions pas
que nous avions grandi ensemble.
La mer connaît notre amour, et les pierres
de la hauteur rocheuse
savent que nos baisers fleurirent
avec une pureté infinie,
comme éclôt dans leurs interstices
une bouche écarlate :
ainsi connaissent-ils et notre amour et le baiser
qui dans une fleur éternelle
réunit ta bouche et la mienne.
Mon amour,
le doux printemps,

flor y mar, nos rodean.
No la cambiamos
por nuestro invierno,
cuando el viento
comenzó a descifrar tu nombre
que hoy en todas las horas repite,
cuando
las hojas no sabían
que tú eras una hoja,
cuando
las raíces
no sabían que tú me buscabas
en mi pecho.
Amor, amor,
la primavera
nos ofrece el cielo,
pero la tierra oscura
es nuestro nombre,
nuestro amor pertenece
a todo el tiempo y la tierra.
Amándonos, mi brazo
bajo tu cuello de arena,
esperaremos
cómo cambia la tierra y el tiempo
en la isla,
cómo caen las hojas
de las enredaderas taciturnas,
cómo se va el otoño
por la ventana rota.
Pero nosotros
vamos a esperar
a nuestro amigo,
a nuestro amigo de ojos rojos,

fleur et mer, nous environne.
Nous ne l'avons pas échangé
contre notre hiver,
à l'époque où le vent
s'est mis à déchiffrer ton nom
qu'il répète aujourd'hui une heure suivant l'autre,
à cette époque
où les feuilles ne savaient pas
que tu étais, toi, une feuille,
à cette époque
où les racines
ignoraient que tu me cherchais
dans ma poitrine.
Amour, amour,
si le printemps
maintenant nous offre le ciel,
la terre obscure
demeure notre nom,
notre amour appartient
au temps entier et à la terre.
En nous aimant, avec mon bras
sous ton cou de sable,
nous attendrons
de voir comment la terre et le temps se font autres
dans l'île,
comment tombent les feuilles
des lierres taciturnes,
comment l'automne
s'éloigne par la fenêtre brisée.
Nous allons, nous,
attendre
notre ami,
notre ami aux yeux rouges,

el fuego,
cuando de nuevo el viento
sacuda las fronteras de la isla
y desconozca el nombre
de todos,
el invierno
nos buscará, amor mío,
siempre,
nos buscará, porque lo conocemos,
porque no lo tememos,
porque tenemos
con nosotros
el fuego
para siempre.
Tenemos
la tierra con nosotros
para siempre,
la primavera con nosotros
para siempre,
y cuando se desprenda
de las enredaderas
una hoja,
tú sabes, amor mío,
qué nombre viene escrito
en esa hoja,
un nombre que es el tuyo y es el mío,
nuestro nombre de amor, un solo
ser, la flecha
que atravesó el invierno,
el amor invencible,
el fuego de los días,
una hoja
que me cayó en el pecho,

le feu,
quand le vent recommencera
à ébranler les frontières de l'île
en oubliant
le nom de tous,
l'hiver,
mon amour, nous cherchera
toujours,
nous cherchera, car nous le connaissons,
car nous n'avons pas peur de lui,
car nous avons,
allié,
le feu
à tout jamais.
Nous avons
la terre comme alliée
à tout jamais,
le printemps comme allié
à tout jamais,
et quand du lierre nous verrons
une feuille
se détacher,
mon amour, tu sais bien
quel nom sera écrit
sur cette feuille,
un nom qui est à la fois le tien et le mien,
notre nom d'amour, un seul être,
la flèche
qui traversa l'hiver,
l'amour jamais vaincu,
le feu des jours,
une feuille
qui s'abattit sur ma poitrine,

una hoja del árbol
de la vida
que hizo nido y cantó,
que echó raíces,
que dio flores y frutos.
Y así ves, amor mío,
cómo marcho
por la isla,
por el mundo,
seguro en medio de la primavera,
loco de luz en el frío,
andando tranquilo en el fuego,
levantando tu peso
de pétalo en mis brazos,
como si nunca hubiera caminado
sino contigo, alma mía,
como si no supiera caminar
sino contigo,
como si no supiera cantar
sino cuando tú cantas.

une feuille de l'arbre
de la vie
qui fit son nid et qui chanta,
qui prit racine,
qui fleurit et donna des fruits.
Tu vois, voilà
comment je vais
dans l'île
et dans le monde,
sans hésiter en plein printemps,
fou de lumière dans le froid,
d'un pas tranquille dans le feu,
soulevant ton poids de pétale
entre mes bras,
comme si je n'avais marché
qu'avec toi, ô mon cœur,
comme si je ne savais m'avancer
qu'avec toi
et comme si je ne savais chanter
qu'en cet instant même où tu chantes.

La carta en el camino

Adiós, pero conmigo
serás, irás adentro
de una gota de sangre que circule en mis venas
o fuera, beso que me abrasa el rostro
o cinturón de fuego en mi cintura.
Dulce mía, recibe
el gran amor que salió de mi vida
y que en ti no encontraba territorio
como el explorador perdido
en las islas del pan y de la miel.
Yo te encontré después
de la tormenta,
la lluvia lavó el aire
y en el agua
tus dulces pies brillaron como peces.

Adorada, me voy a a mis combates.

Arañaré la tierra para hacerte una cueva
y allí tu Capitán

La lettre en chemin

Au revoir, mais tu seras
présente, en moi, à l'intérieur
d'une goutte de sang circulant dans mes veines
ou au-dehors, baiser de feu sur mon visage
ou ceinturon brûlant à ma taille sanglé.
Accueille, ô douce,
le grand amour qui surgit de ma vie
et qui ne trouvait pas en toi de territoire
comme un découvreur égaré
aux îles du pain et du miel.
Je t'ai rencontrée une fois
terminée la tempête,
la pluie avait lavé l'air
et dans l'eau
tes doux pieds brillaient comme des poissons.

Adorée, me voici retournant à mes luttes.

Je grifferai la terre afin de t'y construire
une grotte où ton Capitaine

te esperará con flores en el lecho.
No pienses más, mi dulce,
en el tormento
que pasó entre nosotros
como un rayo de fósforo
dejándonos tal vez su quemadura.
La paz llegó también porque regreso
a luchar a mi tierra,
y como tengo el corazón completo
con la parte de sangre que me diste
para siempre,
y como
llevo
las manos llenas de tu ser desnudo,
mírame,
mírame,
mírame por el mar, que voy radiante,
mírame por la noche que navego,
y mar y noche son los ojos tuyos.
No he salido de ti cuando me alejo.
Ahora voy a contarte :
mi tierra será tuya,
yo voy a conquistarla,
no sólo para dártela,
sino que para todos,
para todo mi pueblo.
Saldrá el ladrón de su torre algún día.
Y el invasor será expulsado.
Todos los frutos de la vida
crecerán en mis manos
acostumbrados antes a la pólvora.
Y sabré acariciar las nuevas flores
porque tú me enseñaste la ternura.

t'attendra sur un lit de fleurs.
Oublie, ma douce,
cette souffrance
qui tel un éclair de phosphore
passa entre nous deux
en nous laissant peut-être sa brûlure.
La paix revint aussi, elle fait que je rentre
combattre sur mon sol,
et puisque tu as ajouté
à tout jamais
à mon cœur la dose de sang qui le remplit
et puisque
j'ai
à pleines mains ta nudité,
regarde-moi,
regarde-moi,
regarde-moi sur cette mer où radieux je m'avance,
regarde-moi en cette nuit où je navigue,
et où mer et nuit sont tes yeux.
Je ne suis pas sorti de toi quand je m'éloigne.
Maintenant je vais te le dire :
ma terre sera tienne,
je pars la conquérir,
non pour toi seule
mais pour tous,
pour tout mon peuple.
Un jour le voleur quittera sa tour.
On chassera l'envahisseur.
Tous les fruits de la vie
pousseront dans mes mains
qui ne connaissaient avant que la poudre.
Et je saurai caresser chaque fleur nouvelle
grâce à tes leçons de tendresse.

Dulce mía, adorada,
vendrás conmigo a luchar cuerpo a cuerpo
porque en mi corazón viven tus besos
como banderas rojas,
y si caigo, no sólo
me cubrirá la tierra
sino este gran amor que me trajiste
y que vivió circulando en mi sangre.
Vendrás conmigo,
en esa hora te espero,
en esa hora y en todas las horas,
en todas las horas te espero.
Y cuando venga la tristeza que odio
a golpear a tu puerta,
dile que yo te espero,
y cuando la soledad quiera que cambies
la sortija en que está mi nombre escrito,
dile a la soledad que hable conmigo,
que yo debí marcharme
porque soy un soldado,
y que allí donde estoy,
bajo la lluvia o bajo
el fuego,
amor mío, te espero.
Te espero en el desierto más duro
y junto al limonero florecido,
en todas partes donde esté la vida,
donde la primavera está naciendo,
amor mío, te espero.
Cuando te digan : «Ese hombre
no te quiere», recuerda
que mis pies están solos en esa noche, y buscan
los dulces y pequeños pies que adoro.

Douce, mon adorée,
tu viendras avec moi lutter au corps à corps :
tes baisers vivent dans mon cœur
comme des drapeaux rouges
et si je tombe, il y aura
pour me couvrir la terre
mais aussi ce grand amour que tu m'apportas
et qui aura vécu circulant dans mon sang.
Tu viendras avec moi,
je t'attends à cette heure,
à cette heure, à toute heure,
je t'attends à toutes les heures.
Et quand tu entendras la tristesse abhorrée
cogner à ton volet,
dis-lui que je t'attends,
et quand la solitude voudra que tu changes
la bague où mon nom est écrit,
dis-lui de venir me parler,
que j'ai dû m'en aller
car je suis un soldat
et que là où je suis,
sous la pluie ou
le feu,
mon amour, je t'attends.
Je t'attends dans le plus pénible des déserts,
je t'attends près du citronnier avec ses fleurs,
partout où la vie se tiendra
et où naît le printemps,
mon amour, je t'attends.
Et quand on te dira : « Cet homme
ne t'aime pas », oh ! souviens-toi
que mes pieds sont seuls dans la nuit, à la recherche
des doux petits pieds que j'adore.

Amor, cuando te digan
que te olvidé, y aun cuando
sea yo quien lo dice,
cuando yo te lo diga,
no me creas,
quién y cómo podrían
cortarte de mi pecho
y quién recibiría
mi sangre
cuando hacia ti me fuera desangrando ?
Pero tampoco puedo
olvidar a mi pueblo.
Voy a luchar en cada calle,
detrás de cada piedra.
Tu amor también me ayuda :
es una flor cerrada
que cada vez me llena con su aroma
y que se abre de pronto
dentro de mí como una gran estrella.

Amor mío, es de noche.

El agua negra, el mundo
dormido, me rodean.
Vendrá luego la aurora,
y yo mientras tanto te escribo
para decirte : « Te amo. »
Para decirte « Te amo », cuida,
limpia, levanta,
defiende
nuestro amor, alma mía.
Yo te lo dejo como si dejara
un puñado de tierra con semillas.

Mon amour, quand on te dira
que je t'ai oubliée, et même
si je suis celui qui le dit,
même quand je te le dirai
ne me crois pas,
qui pourrait, comment pourrait-on
te détacher de ma poitrine,
qui recevrait
alors le sang
de mes veines saignant vers toi ?
Je ne peux pourtant oublier
mon peuple.
Je vais lutter dans chaque rue
et à l'abri de chaque pierre.
Ton amour aussi me soutient :
il est une fleur en bouton
qui me remplit de son parfum
et qui, telle une immense étoile,
brusquement s'épanouit en moi.

Mon amour, il fait nuit.

L'eau noire m'environne
et le monde endormi.
L'aurore ensuite va venir,
entre-temps je t'écris
pour te dire : « Je t'aime. »
Pour te dire « Je t'aime », soigne,
nettoie, lève,
protège
notre amour, mon cœur.
Je te le confie comme on laisse
une poignée de terre avec ses graines.

De nuestro amor nacerán vidas.
En nuestro amor beberán agua.
Tal vez llegará un día
en que un hombre
y una mujer, iguales
a nosotros,
tocarán este amor, y aún tendrá fuerza
para quemar las manos que lo toquen.
Quiénes fuimos ? Qué importa ?
Tocarán este fuego
y el fuego, dulce mía, dirá tu simple nombre
y el mío, el nombre
que tú sola supiste porque tú sola
sobre la tierra sabes
quién soy, y porque nadie me conoció como una,
como una sola de tus manos,
porque nadie
supo cómo, ni cuándo
mi corazón estuvo ardiendo :
tan sólo
tus grandes ojos pardos lo supieron,
tu ancha boca,
tu piel, tus pechos,
tu vientre, tus entrañas
y el alma tuya que yo desperté
para que se quedara
cantando hasta el fin de la vida.

Amor, te espero.

Adiós, amor, te espero.

De notre amour des vies naîtront.
De notre amour on boira l'eau.
Un jour peut-être
un homme
et une femme
à notre image
palperont cet amour, qui aura, lui, gardé la force
de brûler les mains qui le touchent.
Qui aurons-nous été ? Quelle importance ?
Ils palperont ce feu
et le feu, ma douce, dira ton simple nom
et le mien, le nom que toi seule
auras su parce que toi seule
sur cette terre sais
qui je suis, et que nul ne m'aura connu comme
    toi,
comme une seule de tes mains,
que nul non plus
n'aura su ni comment ni quand
mon cœur flamba :
uniquement
tes grands yeux bruns,
ta large bouche,
ta peau, tes seins,
ton ventre, tes entrailles
et ce cœur que j'ai réveillé
afin qu'il chante
jusqu'au dernier jour de ta vie.

Mon amour, je t'attends.

Au revoir, amour, je t'attends.

Amor, amor, te espero.

Y así esta carta se termina
sin ninguna tristeza :
están firmes mis pies sobre la tierra,
mi mano escribe esta carta en el camino,
y en medio de la vida estaré
siempre
junto al amigo, frente al enemigo,
con tu nombre en la boca
y un beso que jamás
se apartó de la tuya.

Amour, mon amour, je t'attends.

J'achève maintenant ma lettre
sans tristesse aucune : mes pieds
sont là, bien fermes sur la terre,
et ma main t'écrit en chemin :
au milieu de la vie, toujours
je me tiendrai
au côté de l'ami, affrontant l'ennemi,
avec à la bouche ton nom,
avec un baiser qui jamais
ne s'est écarté de la tienne.

CHRONOLOGIE
DE PABLO NERUDA
par Claude Couffon

1904 12 juillet : naissance à Parral, Chili, de Pablo Neruda (de son vrai nom Ricardo Neftalí Reyes Basoalto). Ancêtres vignerons. Le père, José del Carmen Reyes Morales, est cheminot. La mère, Rosa Neftalí Basoalto Opazo, institutrice.
Fin août : la mère de Neruda meurt de tuberculose, onze mois après son mariage.
1905 Installation à Temuco. Vie de pionniers dans cette ville naissante, située en pleine Araucanie.
1906 Le père de Neruda épouse en secondes noces doña Trinidad Candia Marverde, l'« ange gardien de mon enfance [1] ».
1910 Neruda entre à l'école de garçons de Temuco, « une vaste bâtisse, avec des salles délabrées et des souterrains sombres ». Enfance timide, placée sous le signe de la forêt, de la tempête et de la pluie, « la grande pluie australe qui tombe du pôle comme une cataracte ».
1917-1920 Premiers articles et poèmes signés Neftalí Reyes.
1920 Adopte définitivement le pseudonyme de Pablo

1. Toutes nos citations sont empruntées à Pablo Neruda.

Neruda. Prépare deux livres de poèmes qu'il ne publie pas : *Les Îles étranges* et *Les Humbles Fatigues.*

1921   Mars : s'installe à Santiago du Chili, dans une pension d'étudiants, au 513, rue Maruri, afin de suivre les cours de professeur de français à l'Institut pédagogique. Il y connaît «une faim totale», mais écrit plusieurs poèmes par jour.

Octobre : sa *Chanson de la fête* obtient le premier prix au Concours de la Fédération des Étudiants.

Collabore aux journaux d'étudiants *Juventud* et *Claridad*, ce dernier dirigé par Alberto Rojas Jiménez. Participe aux manifestations révolutionnaires qui opposent les ouvriers et la police. «Depuis cette époque et par intermittence, la politique s'est mêlée à ma poésie et à ma vie. Il n'était pas possible, dans mes poèmes, de fermer la porte à la rue, de même qu'il n'était pas possible, dans mon cœur de jeune poète, de fermer la porte à l'amour, à la vie, à la joie ou à la tristesse.»

1923   Publie *Crépusculaire*, à compte d'auteur, en vendant les quelques meubles qu'il possède et la montre offerte par son père.

Au cours d'un voyage à Temuco commence *Le Frondeur enthousiaste.*

1924   *Vingt poèmes d'amour et une chanson désespérée.* «C'est un livre que j'aime car, en dépit de sa mélancolie aiguë, on y trouve la joie de vivre… Les *Vingt poèmes* sont le "romance" de Santiago, avec les rues d'étudiants, l'université et l'odeur de chèvrefeuille du bon amour partagé.»

1924-1926 Abandonne les études de français pour se consacrer à la littérature. Écrit trois œuvres expérimentales : *Tentative de l'homme infini, Anneaux* (en collaboration avec Tomás Lago) et un roman, *L'Habitant et son espérance.*

1927   Consul *ad honorem* à Rangoon. Impressionné par le fanatisme hindou. Solitude. Écrit *Résidence sur la terre*, l'«époque la plus douloureuse de ma poésie».

Amours tempétueuses avec une jeune Birmane. «Elle s'habillait à l'anglaise et son nom dans la rue était Josie Bliss, mais dans l'intimité, que j'ai vite partagée, elle se dépouillait de ses vêtements et de ce nom pour reprendre son sarong éblouissant et son nom birman... Parfois, la nuit, la lumière me réveillait et je croyais voir une apparition derrière la moustiquaire. C'était elle, à peine vêtue de blanc, qui brandissait son long couteau indigène, affilé comme un rasoir, et qui se promenait durant des heures autour de mon lit sans se décider à me tuer.»

1928 Consul à Colombo (Ceylan). Josie Bliss réussit à l'y rejoindre. Rupture définitive.

1930 Consul à Batavia. Épouse une jeune Hollandaise établie à Java, Marie-Antoinette Agenaar Vogelzanz («Maruca»).

1932 Retour au Chili.

1933 *Le Frondeur enthousiaste. Résidence sur la terre* (1925-1931).

Août : consul à Buenos Aires.

Octobre : rencontre et amitié avec Federico García Lorca, dont on représente le théâtre à Buenos Aires.

1934 Consul à Barcelone.

4 octobre : naissance de sa fille Malva Marina, à Madrid. Publie dans la revue *Cruz y Raya* deux traductions : *Visions des filles d'Albion* et *Le Voyageur mental* de William Blake.

6 décembre : conférence et récital poétique à l'Université de Madrid, présentation par García Lorca.

Rencontre de Delia del Carril, qui deviendra sa deuxième femme.

1935 Consul à Madrid. Amitié avec Rafael Alberti et María Teresa León, qui lui ont trouvé, non loin de chez eux, dans le quartier d'Argüelles, la «Maison des fleurs».

Avril : *Hommage des poètes espagnols à Pablo Neruda. Résidence sur la terre* (1925-1935) est publié à Madrid.

Octobre : fonde à Madrid la revue de poésie *Caballo Verde para la Poesía*. Amitié avec Miguel Hernández, dont il publie quelques poèmes dans sa revue.

1936 Guerre d'Espagne. Lorca fusillé à Víznar, près de Grenade. Neruda écrit son premier grand poème politique : *Chant aux mères des miliciens morts* (publié par le journal de combat *El Mono Azul*).
Neruda est relevé de ses fonctions consulaires.
S'installe à Paris. 7 novembre : édite la revue *Les Poètes du monde défendent le peuple espagnol.*

1937 Avril : fonde à Paris avec César Vallejo le Groupe hispano-américain d'Aide à l'Espagne.
Juillet : participe à Valence et à Madrid au IIᵉ Congrès international des Écrivains.
10 octobre : retour au Chili. *L'Espagne au cœur*, à la gloire de l'Espagne républicaine.

1938 7 mai : mort de son père à Temuco. Le soir même, Neruda commence son *Chant au Chili*, étape initiale du *Chant général*.
18 août : mort de doña Trinidad Candia Marverde. Neruda achète à une quarantaine de kilomètres au sud de Valparaiso, sur un littoral sauvage de sable dur et de rochers sombres, son domaine de l'Île Noire. Pense y écrire, mais en vain. « Dans cette année de lutte, je n'ai même pas eu le temps de regarder de près ce que ma poésie adore : les étoiles, les plantes, les céréales, les pierres des fleuves et des chemins du Chili. »

1939 Le président Pedro Aguirre Cerda, candidat du Front populaire, récemment élu, envoie Neruda à Paris afin d'y organiser l'immigration au Chili des réfugiés espagnols. À la fin de l'année, plus de deux mille républicains espagnols peuvent ainsi quitter la France à bord du *Winnipeg*.

1940 Retour à Valparaiso.
16 août : consul général à Mexico, où la vie intellectuelle est dominée par la peinture des grands muralistes amis de Neruda : Clemente Orozco, Diego

Rivera, David Alfaro Siqueiros. Ce gigantisme aura sa répercussion sur la structure du *Chant général*.

1941 Décembre : Neruda est attaqué par un commando nazi à Cuernavaca (Mexique).

1942 Mort de sa fille Malva Marina.
Septembre : Neruda lit son *Chant à Stalingrad*, qui est reproduit sous forme d'affiches et collé sur les murs de Mexico.

1943 *Nouveau Chant d'amour à Stalingrad*.
Automne : retour au Chili, avec étapes dans les capitales andines. À Guatemala, amitié avec Miguel Angel Asturias. « Nous comprîmes que nous étions frères et pas un seul jour ou presque nous ne nous séparâmes. » Octobre : Lima, d'où il visite les ruines de Machu Picchu.

1945 4 mars : élu sénateur des provinces minières du Nord (Tarapaca et Antofagasta). Fait sa campagne électorale en lisant son poème *Salut au Nord*.
24 mai : Prix national de Littérature.
8 juillet : adhère au Parti communiste chilien.
Septembre : *Les Hauteurs de Machu Picchu*.

1946 Gabriel González Videla est élu président de la République.

1947 Gabriel González Videla renverse sa politique et persécute les communistes qui l'avaient porté au pouvoir. 27 novembre : Neruda publie contre lui une fulminante *Lettre pour être lue par des millions d'hommes* (journal *El Nacional* de Caracas).
Est accusé de « trahison à la patrie ».

1948 6 janvier : Neruda se défend devant le sénat en prononçant son discours *J'accuse*.
5 février : les tribunaux ayant ordonné sa détention, Neruda entre dans la clandestinité. Vit ainsi caché pendant un an et deux mois, en changeant souvent de domicile. Écrit le *Chant général*.

1949 24 février : Neruda quitte le Chili en franchissant à cheval la Cordillère des Andes, dans la région australe. Emporte le manuscrit de son livre.

25 avril : assiste à Paris au Ier Congrès mondial des Partisans de la Paix. Élu membre du Conseil mondial de cette organisation.

Juin : premier voyage en Union soviétique.

Juillet : Pologne et Hongrie.

Août : À Mexico, avec Paul Eluard.

1950 3 avril : l'édition originale du *Chant général* est publiée à Mexico. Une édition clandestine est sous presse au Chili. Voyages en Europe et en Asie.

22 novembre : reçoit à Varsovie le Prix mondial de la Paix (avec Picasso et Paul Robeson).

1952 Séjour à Capri, où il commence *Les Raisins et le vent.* À Naples, édition anonyme des *Vers du capitaine*, inspirés par sa rencontre avec une « Chilienne du Sud », Mathilde Urrutia.

12 août : retour à Santiago, après l'annulation des poursuites engagées contre lui.

1953 Construit au Chili, sur une colline, près d'une cascade, sa maison « la Chascona ».

1954 *Les Raisins et le vent,* « mon image personnelle de la terre vue d'avion ». *Odes élémentaires.*

1955 Se sépare de Delia del Carril. Épouse Mathilde Urrutia. Voyages en France, en Italie, dans les démocraties populaires et en Chine.

1956 Retour au Chili. *Nouvelles odes élémentaires.*

1958 *Vaguedivague,* « un ouvrage burlesque qui répond à un autre besoin de mon âge… Avec l'âge, et contrairement à l'opinion commune, j'ai acquis ce sens de l'humour qui rend la vie plus supportable ».

1959 *Navigations et retours. La Centaine d'amour,* recueil écrit pour Mathilde Urrutia.

1960 Voyage à Cuba. *Chanson de geste,* poème à la gloire de la révolution cubaine.

Fait construire à Valparaiso sa maison « la Sebastiana ».

1961 Voyages à Cuba et au Mexique. *Les Pierres du Chili. Chants cérémoniels.*

L'éditeur Losada publie à Buenos Aires le millionième exemplaire de *Vingt poèmes d'amour*.

1962 *Pleins pouvoirs*, « un recueil intime, subjectif, de poésie quotidienne. On a fait parfois le procès de l'art subjectif. Il me semble que si l'art n'est pas subjectif, il n'est rien. Le subjectivisme est une obligation, comme la réalité ».

1964 2 juin : achevé d'imprimer du premier volume de *Mémorial de l'Île Noire*.

12 juillet : le cinquième et dernier volume de *Mémorial de l'Île Noire* est achevé d'imprimer pour le soixantième anniversaire du poète.

1965 Février : voyage en Europe.

Juin : docteur *honoris causa* de l'Université d'Oxford.

Été : voyage en Hongrie où il écrit en collaboration avec Miguel Angel Asturias un *Éloge de la cuisine hongroise*, publié en cinq langues.

Décembre : retour au Chili.

1966 Juin : voyage aux États-Unis comme invité d'honneur au congrès du Pen Club. Récitals de poésie à New York, Washington et Berkeley.

Récitals à Mexico, Lima, Arequipa.

28 octobre : légalise son mariage avec Mathilde Urrutia. *Une maison sur le sable* (à Barcelone).

Novembre : *Art des oiseaux*, édition hors commerce.

1967 20 juillet : reçoit le Prix Viareggio-Versilia qui vient d'être créé.

14 octobre : première, à Santiago, de *Splendeur et mort de Joaquin Murieta*.

Décembre : *La Barcarolle*.

1968 Juillet : troisième édition des *Œuvres complètes*, avec une bibliographie établie par Hernan Loyola.

Novembre : *Les Mains du jour*.

1969 Juillet : *Encore. Fin de monde*.

Octobre : candidat à la présidence de la République, se retire en faveur de la candidature unique de Salvador Allende.

1970 Campagne pour Salvador Allende.

Septembre : *L'Épée de flammes.*

Décembre : *Les Pierres du ciel.*

1971   Mars : ambassadeur du Chili à Paris, sous la nouvelle présidence de Salvador Allende.

21 octobre : reçoit le prix Nobel de Littérature.

1972   À New York, prononce le discours d'ouverture du Pen Club.

Mai : *Géographie infructueuse.*

Commence la rédaction de ses Mémoires.

Renonce à son poste d'ambassadeur en France.

Novembre : retour au Chili. Hommage populaire au Stade national de Santiago.

1973   Campagne pour les élections de mars au Parlement. *Incitation au nixonicide et Éloge de la révolution chilienne.* Appel aux intellectuels latino-américains et européens pour éviter la guerre civile au Chili.

11 septembre-20 septembre : putsch militaire, mort de Salvador Allende, saccage des maisons de Pablo Neruda à Valparaiso et à Santiago.

23 septembre : mort de Pablo Neruda à Santiago du Chili.

28 novembre : publication des premières œuvres posthumes : *La Rose séparée, La Mer et les cloches.*

1974   8 janvier : *Jardin d'hiver. 2000.*

29 janvier : *Livre des Questions. Le Cœur jaune.*

20 février : *Élégie.*

23 mars : première édition, à Barcelone, des Mémoires, *J'avoue que j'ai vécu,* mis en ordre par Mathilde Neruda et Miguel Otero Silva.

28 juillet : *Défauts choisis.*

Œuvres publiées en espagnol

1923   *Crepusculario* (revue *Claridad,* Santiago).

1924   *Veinte poemas de amor y una canción desesperada* (Nascimento, Santiago).

1925   *Tentativa del hombre infinito* (Nascimento).

El Habitante y su esperanza, roman (Nascimento).

1926 *Anillos*. Proses de Pablo Neruda et de Tomás Lago (Nascimento).

1933 *El Hondero entusiasta* (Empresa Letras, Santiago).
Residencia en la tierra. 1925-1931 (Nascimento).

1935 *Residencia en la tierra. 1925-1935*, 2 volumes (Cruz y Raya, Madrid).

1947 *Tercera residencia. 1935-1945* (Losada, Buenos Aires).

1949 *Dulce Patria* (Ed. del Pacífico, Santiago).

1950 *Canto general* (Mexico).

1952 *Los Versos del capitán* (Naples).

1954 *Las Uvas y el viento* (Nascimento).
Odas elementales (Losada).

1955 *Viajes*, proses (Nascimento).

1956 *Nuevas odas elementales* (Losada).

1957 *Tercer Libro de las odas* (Losada).

1958 *Estravagario* (Losada).

1959 *Navegaciones y regresos*, quatrième volume des *Odas elementales* (Losada).

1960 *Cien sonetos de amor* (édition définitive, Losada).
Canción de gesta (Casa de las Américas, La Havane).

1961 *Las Piedras de Chile* (Losada).
Cantos ceremoniales (Losada).

1962 *Plenos poderes* (Losada).

1964 *Memorial de Isla Negra*, cinq volumes (Losada).
Todo el amor (Losada).

1965 *Comiendo en Hungría*.

1966 *Una casa en la arena* (Lumen, Barcelone).
Arte de pájaros (Sociedad de Amigos del Arte Contemporáneo, Santiago).

1967 *Fulgor y muerte de Joaquín Murieta*, théâtre (Zig-Zag, Santiago).
La Barcarola (Losada).

1968 *Las Manos del Día* (Losada).

1969 *Aún* (Nascimento).
Fin de mundo (Losada).

1970 *La Espada encendida* (Losada).
Las Piedras del cielo (Losada).

1972 *Geografía infructuosa* (Losada).
1973 *Incitación al nixonicidio y Alabanza de la revolución chilena* (Santiago).
   La Rosa separada (Losada).
   El Mar y las campanas (Losada).
1974 *Jardín de invierno* (Losada).
   2000 (Losada).
   Libro de las preguntas (Losada).
   El Corazón amarillo (Losada).
   Elegía (Losada).
   Confieso que he vivido, Mémoires (Seix Barral).
   Defectos escogidos (Losada).
1976 *El Río invisible* (Seix Barral).
1997 *Cuadernos de Temuco*, edición y prólogo de Víctor Farías (Seix Barral).

Œuvres traduites en français

1938 *L'Espagne au cœur*. Traduction de Louis Parrot. Préface d'Aragon (Denoël).
1948 *Trois poèmes*. Texte espagnol et traduction de Jean Garamond (G.L.M.). Ces poèmes sont extraits de *Résidence sur la terre*.
1950-1954 *Le Chant général*. Traduction d'Alice Ahrweiler (E.F.R., 3 volumes). Repris en un volume en 1954 avec des illustrations de Fernand Léger.
1954 Choix de poèmes dans *Pablo Neruda* par Jean Marcenac (Seghers, «Poètes d'aujourd'hui»). Nouvelle édition revue et augmentée en 1971.
   Tout l'amour. Anthologie. Texte espagnol et traduction française d'Alice Ahrweiler-Gascar (Seghers). Nouvelle édition en 1961 avec une préface de l'auteur.
1961 *Toros*. Texte espagnol et traduction de Jean Marcenac. Avec quinze lavis de Pablo Picasso (Au Vent d'Arles).
1965 *La Centaine d'amour*. Texte espagnol et traduction de Jean Marcenac et André Bonhomme (Club des amis du livre progressiste).

1969 *Splendeur et mort de Joaquin Murieta* (théâtre). Traduction de Guy Suarès (Gallimard).
Résidence sur la terre. Traduction de Guy Suarès (Gallimard).

1970 *Vingt poèmes d'amour et une chanson désespérée.* Traduction de Jean Marcenac et André Bonhomme (E.F.R.)
Mémorial de l'Île Noire. Traduction de Claude Couffon (Gallimard).

1971 *Vaguedivague.* Traduction de Guy Suarès (Gallimard).
L'Épée de flammes. Traduction de Claude Couffon (Gallimard).

1972 *Résidence sur la terre.* Traduction nouvelle de Guy Suarès. Préface de Julio Cortázar (Poésie/Gallimard).
Les Pierres du ciel. Les Pierres du Chili. Traduction de Claude Couffon. Photographies d'Antonio Quintana (Gallimard).

1973 *Incitation au nixonicide et Éloge de la révolution chilienne.* Poèmes adaptés par Marc Delouze (E.F.R.).

1974 *Odes élémentaires.* Traduction de Jean-Francis Reille (Gallimard).

1975 *J'avoue que j'ai vécu* (Mémoires). Traduction de Claude Couffon (Gallimard et E.F.R.).

1976 *Nouvelles odes élémentaires.* Traduction de Jean-Francis Reille (Gallimard).

1977 *Mémorial de l'Île Noire* suivi de *Encore.* Traduction de Claude Couffon (Gallimard).

1978 *Troisième livre des Odes.* Traduction de Jean-Francis Reille (Gallimard).

1979 *La Rose détachée* et autres poèmes. Traduction de Claude Couffon (Gallimard).

1980 *Né pour naître.* Traduction de Claude Couffon (Gallimard).

1982 *Les Premiers Livres,* poésie et prose. Traduction d'André Bonhomme, Claude Couffon, Jean Marcenac, Sylvie Sesé-Léger et Bernard Sesé (Gallimard).

1984 *Les Vers du capitaine* suivi de *La Centaine d'amour.* Traduction de Claude Couffon, Jean Marcenac et André Bonhomme (Gallimard).

VINGT POÈMES D'AMOUR
ET UNE CHANSON DÉSESPÉRÉE
*VEINTE POEMAS DE AMOR
Y UNA CANCIÓN DESESPERADA*
Traduction de Christian Rinderknecht

Table 329

LES VERS DU CAPITAINE
LOS VERSOS DEL CAPITÁN
Traduction de Claude Couffon

Table 331

Le domaine hispanique
dans Poésie/Gallimard

Octavio Paz. *Liberté sur parole* (*Condition de nuage. Aigle ou Soleil. À la limite du monde. Pierre de Soleil*). Préface de Claude Roy. Traduction de Jean-Clarence Lambert et Benjamin Péret.

Octavio Paz. *Versant Est* et autres poèmes (1960-1968). Préface de Claude Esteban. Traduction de Yesé Amory, Claude Esteban, Carmen Figueroa, Roger Munier et Jacques Roubaud.

Octavio Paz. *Le feu de chaque jour* précédé de *Mise au net* et *D'un mot à l'autre*. Traduction de Claude Esteban, Roger Caillois et Jean-Claude Masson.

José Ángel Valente. *Trois leçons de ténèbres. Mandorle. L'éclat.* Préface et traduction de Jacques Ancet.

Ce volume,
le trois cent vingtième de la collection Poésie,
a été composé par Interligne et
achevé d'imprimer par
l'imprimerie Bussière à Saint-Amand (Cher),
le 25 février 1999.
Dépôt légal : février 1999.
1ᵉʳ dépôt légal dans la collection : avril 1998.
Numéro d'imprimeur : 605.

ISBN 2-07-040421-8./Imprimé en France.